Éloges supplémentaires pour
Itinéraire pour devenir centenaire

«De plus en plus de gens atteignent désormais l'âge de quatre-vingts ou même quatre-vingt-dix ans et ils continuent de profiter pleinement de la vie en demeurant prospères et actifs. Le médecin et chercheur réputé dans le domaine du vieillissement, le Dr Wally Bortz, de l'École de médecine de l'université Stanford, présente ici une argumentation solide indiquant comment nous pouvons influencer notre santé à long terme de manière significative grâce à un programme vigoureux et suivi d'exercices physiques. Ses affirmations s'appuient sur des données scientifiques de pointe indiquant que nous devenons plus faibles, à mesure que les années passent, et que cela n'est pas nécessairement dû au vieillissement, mais plutôt au fait que nous ne mettons pas suffisamment notre corps au défi. Le présent ouvrage présente l'idée que demeurer engagé et actif touche tous les domaines de l'existence, incluant l'exercice, la vie sociale, la vitalité sexuelle – et prolonge la vie de plusieurs dizaines d'années. Voilà un livre absolument extraordinaire et Bortz est un véritable pionnier dans le domaine.»

— Ken Dychtwald, Ph. D., auteur de
The Age Wave et *A New Purpose:*
Redefining Money, Family, Work, Retirement, and Success

«Encore jeune à l'âge de 80 ans, le docteur Walter Bortz consacre à son travail une énergie qui dépasse largement celle des gens dans la vingtaine. Il nous met au défi avec son message des plus revitalisants : nous sommes tous ultimement responsables du maintien de notre état de santé, car en demeurant pleinement engagés – sur les plans communautaire, physique, intellectuel et créatif – nous augmenterons ainsi la durée d'une vie qui vaut la peine d'être vécue.»

— Jim Collins, auteur de *Good to Great*

même qu'un meilleur communicateur de l'importance de l'exercice dans le projet d'être heureux et de jouir d'une longue vie. Cependant, la vision de Bortz est plus large encore, tendant vers une nouvelle approche en médecine basée sur la prévention et la prise en charge de sa propre destinée, et appuyée par des données scientifiques de pointe entourant les phénomènes de l'évolution et de l'énergie. La vision de Bortz est contagieuse et j'y souscris entièrement. »

— Dorion Sagan, auteur de *Biospheres*

« La longévité étant devenue la nouvelle norme, nous avons besoin de toute l'aide possible de la part des experts pour nous accompagner le long du chemin. »

— Edgar Mitchell, Sc. D., fondateur de
l'*Institute of Noetic Sciences,*
et astronaute d'Apollo 14.

ITINÉRAIRE POUR DEVENIR CENTENAIRE

Catalogage avant publication de Bibliothèque et Archives nationales du Québec et Bibliothèque et Archives Canada

Bortz, Walter M.
   Itinéraire pour devenir centenaire : vivre longtemps et en santé!
   Traduction de: The roadmap to 100.
   Comprend des réf. bibliogr.
   ISBN 978-2-89436-281-5
   1. Longévité. 2. Santé. 3. Vieillissement - Prévention. I. Stickrod, Randall. II. Titre.
   RA776.75.B6714 2011   612.6'8   C2010-942378-X

Nous reconnaissons l'aide financière du gouvernement du Canada par l'entremise du Programme d'aide au développement de l'édition (PADIÉ) pour nos activités d'édition. Nous remercions la Société de développement des entreprises culturelles du Québec (SODEC) pour son appui à notre programme de publication.

Traduction : Richard Ouellette
Infographie de la couverture : Marjorie Patry
Mise en pages : Roseau infographie inc.
Correction et révision linguistique : Roseau infographie inc.

Éditeur :   Les Éditions Le Dauphin Blanc inc.
            Complexe Lebourgneuf, bureau 125
            825, boulevard Lebourgneuf
            Québec (Québec) G2J 0B9 CANADA
            Tél. : (418) 845-4045   Téléc. : (418)845-1933
            Courriel : dauphin@mediom.qc.ca
            Site Web : www.dauphinblanc.com

ISBN : 978-2-89436-281-5

Dépôt légal :   1er trimestre 2011
                Bibliothèque nationale du Québec
                Bibliothèque nationale du Canada

Imprimé au Canada

Limites de responsabilité

ITINÉRAIRE POUR DEVENIR CENTENAIRE

Vivre longtemps et en santé

WALTER M. BORTZ II, M.D.

RANDALL STICKROD

Traduit de l'anglais par Richard Ouellette

Le Dauphin Blanc

À nos familles présentes et futures. À tous ceux sur les épaules desquels nous nous tenons.

— *Walter M. Bortz II, M.D. et Randall Stickrod*

TABLE DES MATIÈRES

INTRODUCTION

Nous vivons dans un monde divisé par les enjeux de santé. Il se trouve dans n'importe quelle grande ville probablement davantage de gyms que de stations d'essence. Nous jouissons de voies réservées aux vélos et de sentiers de marche en milieu urbain, signes tangibles d'une population active et conscientisée, qui valorise le bien-être physique et une santé robuste. Et pourtant, nos manchettes brandissent la menace terrifiante d'une obésité ayant atteint des proportions épidémiques et de la prolifération du diabète de type 2, une maladie qui existait à peine, il y a deux générations. Les statistiques touchant la condition physique des enfants d'âge scolaire ne cessent de chuter de manière dramatique et rapide. Les franchises de repas-minute semblent omniprésentes, contrastant avec la présence accrue des magasins et fabricants d'aliments naturels et de produits biologiques. Nous sommes devenus une population dangereusement divisée entre deux tendances opposées : nous sommes de plus en plus conscients des enjeux de santé, et nous sommes plutôt récalcitrants, côté santé.

Presque chaque jour, les manchettes des journaux font mention d'un nouveau centenaire, le segment de la population qui subit la croissance la plus rapide dans ce pays. Cela semble une affirmation exaltante que nous soyons toujours en train de progresser dans notre évolution en tant qu'espèce, toujours au sommet de la chaîne alimentaire en continuelle mutation. Nous demeurons les maîtres de l'univers, affirmant la réalité de cette maîtrise en prolongeant même la durée de notre vie. Toutefois, dans ce même journal, il se trouvera aussi au moins un article traitant de la montée en flèche des coûts des soins médicaux, signe précurseur d'une crise majeure à venir sur le plan national. Nous ne cessons de recevoir des mises en garde selon lesquelles la durée moyenne de vie risque de décliner dans la prochaine génération, la première occurrence d'une telle réalité dans toute l'histoire humaine.

La dichotomie entre ceux qui vivent une longue vie productive et jouissent d'une réelle possibilité de devenir centenaires, et ceux qui ne cessent de s'enliser plus profondément dans la catégorie statistique des gens à haut risque sur le plan médical, dont l'espérance de vie se rapproche du Moyen Âge, est alarmante. Que pouvons-nous faire devant une telle réalité ?

La connaissance est synonyme de pouvoir, dit-on. Si cette connaissance peut nous rendre capables d'atteindre et de conserver un niveau optimum de santé, nous permettant de vivre notre plein potentiel humain, alors nous aurons accompli quelque chose de vraiment spectaculaire.

Pourtant, trop peu de gens vivent bien en deçà de leur plein potentiel. Nous sommes tous au courant des principes de base : ne pas fumer, ne pas boire trop d'alcool, manger des légumes et laisser tomber les repas-minute, faire de l'exercice. Le message devient un mantra qui est si facile à ignorer. Nous savons que vous avez besoin de plus d'information pour vous forger une perspective de la situation qui soit claire et incontestable, vous permettant alors d'apporter de réels changements à votre mode de vie. Vous avez besoin de meilleures réponses, en fait : des réponses non seulement à la question *quoi ?*, mais aussi aux questions *pourquoi ?, comment ?, combien ?...* Durant combien de temps devrais-je faire de l'exercice ? Pourquoi devrais-je m'entraîner aux haltères si je ne suis pas un culturiste ? Où se trouve la limite à ne pas dépasser ? Pourquoi, au juste, devrais-je éviter de consommer tout produit fabriqué à partir de sirop de maïs à haute teneur en fructose ? Nous sommes habitués à ce qu'on nous dise quoi faire et ne pas faire, mais plus souvent qu'autrement, sans que nous puissions savoir exactement pour-quoi. Nous avons donc besoin d'une information meilleure, plus profonde, plus détaillée.

Plus souvent qu'autrement, nombre de professionnels de la médecine trouvent difficile de fournir à l'individu moyen des réponses adéquates à des questions de ce genre. Le diplômé typi-que d'une école de médecine est mieux formé pour discerner ce qui ne va pas chez vous que pour vous guider sur la voie de la prévention des maladies et vous proposer des objectifs spé-cifiques en vue de conserver votre santé, voire d'assurer votre longévité. Imaginez un examen de routine au cours duquel un patient poserait les questions suivantes à son médecin : Que devrais-je faire pour demeurer le plus en santé possible ? Pour vivre le plus longtemps possible sans perdre mes capacités ? À quel genre d'exercices physiques devrais-je m'astreindre, à quelle fréquence et durant combien de temps ? Que devrais-je manger ? Devrais-je prendre des vitamines ? Des suppléments ? Y a-t-il quelque chose que je devrais cesser de faire parce que j'ai main-tenant 70 ans ?

Il est possible que vous ayez de la chance, car certains méde-cins sont tout à fait préparés à se révéler des conseillers dignes de confiance, le cas échéant, et à vous aider à comprendre les plus récentes et pertinentes données scientifiques entourant la santé. Mais ils sont toutefois l'exception. La médecine a été décrite comme la discipline scientifique la plus récente, et comme elle doit faire la synthèse entre la biologie, la chimie et la physique, il n'est pas étonnant qu'elle traîne un peu les pieds. Nul besoin de regarder trop loin derrière pour constater à quel point le défi s'est révélé de taille pour elle. Pour ne citer qu'un exemple, il y a à peine quelques décennies, un patient ayant subi une crise cardiaque était tenu de garder le lit et d'éviter presque toute activité physique pour des semaines suivant l'incident. Nous savons maintenant que c'est là à peu près la pire chose à faire lorsqu'on se remet d'une crise cardiaque !

La médecine n'est problématique que dans la mesure où on lui permet de l'être. Dans notre culture, nous avons développé l'habitude de nous tourner vers la médecine et vers les produits pharmaceutiques pour nous aider à retrouver la santé. Trop nombreux sont ceux qui ont tout bonnement l'habitude de ne pas tenir compte des sages conseils prodigués en vue d'une vie en bonne santé et qui se tournent ensuite vers la médecine ou les produits pharmaceutiques dans l'espoir de voir les dommages éventuels être réparés. À cet égard, il est clair que nous avons largement négligé de prendre en main notre propre bien-être physique.

Qui est responsable de votre santé ? Vous et personne d'autre ! Reconnaître une telle réalité est le premier pas vers le privilège éventuel de souffler sur les 100 chandelles de votre gâteau d'anniversaire.

La mission du présent ouvrage est de vous persuader de l'importance de vivre jusqu'à 100 ans et plus, en demeurant bien dans votre peau tout le long du parcours. Nous souhaitons vous éviter cette longue période de déclin, d'infirmité et de fragilité grandissante, caractéristique des dernières années de vie, incluant la dépossession graduelle de vos moyens, les sentiments d'impuissance et la perte de l'autonomie personnelle. Nous vous invitons solennellement à reprendre votre santé en main, à apprendre à en assumer toutes les responsabilités et à ne pas vous appuyer aveuglément sur la technologie médicale éventuelle pour réparer les dommages provoqués par votre propre négligence. La volonté d'assumer la pleine responsabilité pour sa santé et son bien-être est le crucial premier pas à faire ; sans un tel engagement initial, toute autre information communiquée risque de s'avérer inutile.

Cet itinéraire pour vivre centenaire aborde des points tous reliés à la santé, une clarification importante sur laquelle nous tenons à insister. La longévité n'est ni un accident de parcours, ni un phénomène isolé. Elle est la conséquence de comportements spécifiques favorisant le mieux-être, résultat direct du maintien en bonne santé. Les gens qui atteignent l'âge de 100 ans sont généralement en bonne santé. Ils font de meilleurs choix, des choix qui vont dans le sens de privilégier les habitudes de vie saine et de lutter contre les maladies qui entraînent la mort prématurée. Découvrir quelles sont les stratégies de ces centenaires procure en quelque sorte un certain pouvoir permettant de défier et renverser le scénario habituel d'un déclin inévitable que nous impose Mère Nature.

Nombre de prédictions affirment que d'ici au milieu du siècle actuel, près de six millions de centenaires seront comptés parmi nous. Ils jouiront, à l'évidence, pour la majorité d'entre eux, d'une excellente santé, s'acquittant pleinement de leurs responsabilités et faisant preuve d'une réelle autonomie personnelle. Nombre d'entre eux auront alors la possibilité d'être des membres actifs de la société et pas simplement des gens à la retraite. L'impact positif sur notre économie de cadres aînés contribuant davantage que les coûts sociétaux qu'ils entraînent est une perspective d'avenir encourageante et une situation sans précédent dans l'histoire du monde.

D'autres prévisions nous brossent un tableau plus sombre : la tendance actuelle à l'obésité va peu à peu devenir un phénomène global, le diabète de type 2 va continuer à se répandre avec le type d'« alimentation à l'occidentale », causant de véritables ravages au sein de la population du monde entier. Les estimations actuelles prédisent qu'environ 400 millions de gens seront atteints du diabète, d'un bout à l'autre de la planète, d'ici l'an 2025, engendrant un fardeau social insurmontable à mesure que les coûts des soins médicaux iront en augmentant et que les gens malades investiront de moins en moins d'années à contribuer en tant que membres actifs de la société. Cette crise aura un profond impact non seulement sur nos propres coûts de système de santé, mais aussi sur l'économie mondiale.

Il revient à nous de décider lequel de ces scénarios va dominer le monde que nous léguons aux futures générations. Personne n'a envie de voir se produire le scénario catastrophe d'une chute en vrille entraînant d'immenses coûts sociaux éventuels. Une population de plus en plus en bonne santé, au sein de laquelle des individus peuvent s'attendre à demeurer des membres actifs de la société plus longtemps qu'à aucune autre époque avant nous dans l'histoire, serait quelque chose de vraiment révolutionnaire et digne de ce que l'espèce humaine a toujours eu comme potentiel prometteur.

CHAPITRE 1

LE VIEILLISSEMENT, LA SANTÉ ET LA QUÊTE DE LONGÉVITÉ

L'IMPÉRATIF DU CENTENAIRE

Le fait d'atteindre le troisième âge est un phénomène relativement récent. Il y a à peine un siècle ou deux, la durée de vie des individus ne dépassait pas 30 ans. Les traces historiques du phénomène du vieillissement sont si rares que cela nous laisse très peu d'information sur le processus le concernant. Et comme si peu de gens ont eu la chance d'atteindre leur plein potentiel de durée de vie, ce n'est qu'à notre époque que nous arrivons à mieux cerner quelle est la durée de vie potentielle à laquelle nous sommes en droit de nous attendre. Avant la révolution de l'agriculture, il y a environ 10 000 ans, la vie des individus était habituellement interrompue subitement par un prédateur, une blessure ou la famine. L'arrivée de l'agriculture a mené à la formation des villages et des cités ; les gens décidant de s'installer à proximité, cela a provoqué l'émergence et la propagation des maladies infectieuses, qui ont continué à réduire la durée de la vie humaine. Ce n'est pas avant le vingtième siècle que l'espérance de vie moyenne des individus a commencé à augmenter de manière appréciable, grâce aux efforts fructueux de la médecine permettant d'enrayer les maladies infectieuses, à la grande disponibilité des aliments et à la réduction des dangers potentiels quotidiens dans une société civilisée. En fait, au cours du vingtième siècle uniquement, nous avons ajouté approximativement 30 années à la durée moyenne de vie, doublant presque celle du millénaire précédent.

Il y a un siècle, il n'y avait qu'une poignée de centenaires sur la Terre. Dans les années 1950, leur nombre était estimé à quelques milliers. De nos jours, on croit qu'il y a 340 000 centenaires à travers le monde et il est prévu que ce nombre va augmenter à environ 6 millions d'individus en l'an 2050. La plus forte concentration de centenaires est prévue se retrouver aux États-Unis et au Japon. En 2009, il y en avait tout près de 100 000 aux États-Unis et pas loin de 40 000 au Japon. Toutefois, d'ici au milieu du siècle, ces nombres sont supposés progresser jusqu'à au moins 600 000 aux États-Unis et un million d'individus au Japon, faisant des centenaires la tranche démographique la plus en croissance, dépassant de plus de vingt fois la progression générale de la population totale.

Ces statistiques impressionnantes soulignent la viabilité d'établir comme objectif d'atteindre 100 ans de vie, une balise de longévité qui s'avère facilement atteignable, de toute évidence. Et pourtant, nous nous trouvons à une époque où la progression croissante de l'espérance de vie se trouve sérieusement menacée par la prolifération des modes de vie basés sur des facteurs négatifs. L'obésité et le diabète sont le véritable fléau de notre ère, une régression bizarre dans un siècle où la santé des individus a connu une amélioration sensible, affectant par le fait même leur longévité. Nous sommes de plus en plus en train de devenir une société bifurquée, un segment se préoccupant de santé, de mieux-être et de nutrition, tandis que l'autre fait pencher les statistiques de santé publique du côté négatif. Le plus grand défi touchant les politiques de santé publique de nos jours consiste probablement à éduquer et motiver les personnes en mauvaise santé et à les inviter à apporter de réels changements à leur vie en adoptant des habitudes plus saines – avec comme résultat éventuel un style de vie plus productif.

Il n'y a rien de spécial ou de magique – ou de particulièrement scientifique – au chiffre 100, devrions-nous souligner. Il s'agit là d'une borne appréciable dans notre système décimal, un nombre comportant trois chiffres, qui s'avère avoir une signification particulière sur le plan statistique dans les études sur l'espérance de vie. Mais c'est aussi un objectif symbolique utile. Ce que nous avons appris jusqu'ici est qu'il semble y avoir un point limite supérieur à la durée de la vie humaine se situant autour de 120 ans. La plus vieille personne ayant jamais vécu, selon les données officielles, a été Mme Jean Calment, une Française. Elle est morte en 1997, à l'âge de 122 ans, et on dit d'elle qu'elle buvait ses deux verres de porto par jour et qu'elle avait enregistré un disque de hip-hop à l'âge de 121 ans. Elle se vantait d'avoir une grande volonté de vivre et un excellent appétit, surtout pour le chocolat.

Il n'y a pas si longtemps, un article de journal annonçait le 115e anniversaire de Gertrude Baines, résidente de Los Angeles, soulignant avec ironie le fait que la personne la plus âgée du monde se trouve dans la ville la plus obsédée par la jeunesse. Plus remarquable que son âge est le fait qu'elle a vécu en étant parfaitement autonome et capable de prendre soin d'elle-même jusqu'à l'âge de 107 ans. De tels reportages concernant des gens qui sont devenus centenaires sont de plus en plus monnaie courante. Il existe désormais assez de gens aux États-Unis qui ont atteint une décennie de plus – 110 ans d'âge – pour qu'il nous faille inventer un terme particulier pour parler d'eux : les *supercentenaires*. Au moment de la rédaction de cet ouvrage, un total de 75 supercentenaires sont suivis par une équipe de recherche, le *Gerontology Research Group of Inglewood*, en Californie, et leur nombre ne cesse de croître.

Désirer voir son existence se prolonger à sa limite maximale est aussi normal que de respirer. Et pourtant, qui aspire à vivre infirme, accablé par la fragilité et la perte de ses capacités personnelles ? Qui a envie de passer ses dernières années – ou dernières dizaines d'années – étendu sur un lit et branché à des appareils ? Il devrait être évident pour tous que longévité et santé sont les deux faces d'une même pièce de monnaie. La longévité sans la santé n'est une perspective agréable pour personne. En fait, ce n'est même pas une option viable. C'est véritablement la convergence de notre processus de vieillissement et de la qualité de notre état de santé qui détermine notre espérance de vie.

Une étude très approfondie menée par un groupe de recherche d'origine danoise et couvrant 30 pays développés, émet la probabilité qu'au moins la moitié des bébés nés dans ces pays aujourd'hui ont de bonnes chances de vivre jusqu'à 100 ans ou plus. Qui plus est, ils risquent de rencontrer moins de difficultés de santé et de limites fonctionnelles à mesure qu'ils avanceront en âge, conséquence présumée de styles de vie plus sains. L'autre moitié, qui n'atteindra pas la centaine, a toutes les chances de poursuivre la tendance si répandue à notre époque – l'augmentation toujours croissante d'obésité et de diabète, deux fléaux qui font pencher la balance des statistiques sur la longévité dans la direction contraire.

Qui n'a pas envie de vivre jusqu'à 100 ans ou plus et de jouir ainsi d'une durée de vie plus longue ? Ce n'est pas tout le monde, apparemment. Selon les résultats d'un sondage effectué par le *Pew Research Group*, seulement 8 pour cent des Américains ont exprimé le désir de devenir centenaire. La raison en est que nous associons, pour la plupart, longévité à infirmité, impliquant une médiocre qualité de vie. L'image que nous entretenons de la personne centenaire est invariablement colorée par les choses qu'un individu n'est plus capable de faire, par la perte de l'autonomie et la dégradation des capacités personnelles. Qu'y a-t-il de désirable à vivre si longtemps si vous n'êtes plus capable de faire les choses qui donnaient à votre vie toute sa valeur au point de départ?

Nous croyons qu'une telle conception de la vie des personnes âgées est complètement fausse et nous en ferons la preuve. Nos dernières années ne sont pas obligées d'être caractérisées par un déclin catastrophique et la décrépitude, et il nous est possible d'affirmer, en nous appuyant sur de solides données scientifiques, qu'une bonne partie du processus du vieillissement demeure sous notre contrôle personnel. Mais d'abord, il nous faut comprendre ce qu'est le processus de vieillissement, et ce qu'il n'est pas.

VIEILLIR N'EST PAS UNE MALADIE

Un simple survol des pages nécrologiques de n'importe quel grand quotidien actuel révèle le changement subtil qui s'est produit dans la manière de décrire la mort depuis une ou deux générations. Cela était courant auparavant, lorsque la majorité des gens ayant plus de 60 ans mouraient, d'attribuer leur décès au vieillissement, ou du moins, à une «cause naturelle». De nos jours, il est plutôt rare de voir la mort réduite à des termes non médicaux aussi simples. Si un cœur âgé de 88 ans cesse de battre, la chose sera probablement décrite comme un «arrêt cardiaque»,

tenant pour acquis que quelque chose s'est détraqué, vraisemblablement suite à une maladie cardiaque quelconque et non à
l'épuisement des fonctions du cœur, cette usure prévisible du
vieillissement. La mort n'a plus besoin de la maladie comme
complice.

Le besoin de défier le vieillissement et ses conséquences
négatives semble aussi fondamental que celui de procréer. Cela
est facile à comprendre. Ce qui ne l'est pas, en contrepartie, est
la notion qu'il nous soit possible de trouver un « remède miracle »
au vieillissement et avoir simplement à avaler un cachet, à recevoir une injection ou à subir une intervention chirurgicale lorsque
la médecine aura enfin réussi à en percer le secret. Si vieillir est
une maladie, nous en sommes tous porteurs depuis la naissance
et sommes destinés à en mourir tôt ou tard.

Vieillir est une réalité inéluctable, tout aussi immuable que
les lois fondamentales de la physique. Toutefois, ses effets peuvent être diminués, grâce aux choix que nous faisons chaque jour
de notre vie. Vieillir n'implique pas nécessairement une forme
quelconque d'infirmité, la maladie, la fragilité ou l'impossibilité
de vivre une vie épanouie, productive, pleinement satisfaisante.

Notre approche curative actuelle au vieillissement s'inspire
du modèle médical, essentiellement axé sur le traitement des
maladies. Nous nous tournons vers les potions, les cachets, les
produits pharmaceutiques. Nous cherchons la solution dans la
thérapie génique et dans les interventions chirurgicales radicales.
Toutes ces approches s'inspirent d'un modèle médical dont les
origines remontent à Louis Pasteur, le scientifique français du
milieu du dix-neuvième siècle. Depuis l'époque de la découverte
de l'agriculture jusqu'à il y a à peine quelques décennies, la
principale menace à la vie était les maladies infectieuses : la
peste bubonique, la variole, le choléra, la polio, la tuberculose,

la malaria, pour n'en nommer que quelques-unes. La découverte de Pasteur selon laquelle les agents de telles maladies étaient de minuscules microbes fut une formidable percée qui nous permit de lutter efficacement contre elles. Depuis lors, la science médicale a remarquablement réussi à trouver des remèdes et des stratégies curatives pour ces maladies, réussissant même, dans bien des cas, à les éradiquer complètement. De telles réussites ont permis, d'emblée, au modèle médical axé sur le traitement des maladies à devenir la norme en médecine, et cela, depuis les 150 dernières années.

Fait plutôt étonnant, le processus du vieillissement a été historiquement mal compris au sein de la communauté scientifique médicale. Sans doute ne devrions-nous pas nous surprendre d'un tel état de fait. La médecine constitue, de bien des manières, notre plus jeune science – la physique, la chimie et la biologie ayant vu le jour en tant que disciplines scientifiques bien avant qu'il y ait des écoles de médecine accréditées, offrant un programme d'études scientifiques établi. La complexité même des processus entourant la vie représente un réel défi et elle exige non seulement un appui solide de la part des différentes disciplines scientifiques pour être comprise, mais également la capacité de joindre ces disciplines ensemble pour en faire la synthèse dans une nouvelle approche émergente, celle de la science de la vie. Le vieillissement a depuis trop longtemps été considéré comme un processus en opposition à la vie, et sans doute ce qui est encore plus pertinent, c'est un processus qui a été largement entouré de mystère jusqu'ici.

LA FLÈCHE DU TEMPS

Tout subit l'effet de l'âge. C'est dans la nature même de notre univers de changer avec le temps. Environ 14 milliards d'années après le Big Bang, le temps continue à marquer les heures non seulement des êtres vivants, mais de toute chose. Même nos particules fondamentales – neutrons, électrons, protons – se dégradent avec le temps. Le changement est constant, partout, et il est impossible de lui échapper. Sans ce changement, en fait, le concept même du temps n'aurait plus aucun sens. La flèche du temps pointe dans une seule direction, une anomalie de la physique suite à laquelle tout le reste doit aller soit de l'avant, soit de l'arrière. Le temps, en tant que variable, apparaît fréquemment dans la plupart des équations mathématiques utilisées pour décrire le monde physique. Que le temps coule à l'envers ou progresse de l'avant ne fait habituellement pas une différence en mathématiques. Dans notre vie de tous les jours, cependant, nous ne voyons jamais le temps reculer – allant du présent vers le passé. Le fait que le temps soit perçu comme coulant inexorablement dans une seule direction dans la vraie vie est identifié comme étant la «flèche du temps». La raison pour laquelle nous faisons l'expérience du temps coulant dans une seule direction, du passé au présent et vers le futur, est une conséquence de la deuxième loi de la thermodynamique, qui est fondamentale à tout processus entourant la vie.

La thermodynamique est la science de la production et de l'échange d'énergie. Ses lois gouvernent tout ce qui concerne la vie et le fait d'être vivant, particulièrement nos processus métaboliques, ces mécanismes de production et de conversion de l'énergie qui définissent littéralement ce que cela signifie d'être en vie. La première de ses lois est souvent appelée la loi de la conservation de l'énergie. Elle stipule que l'énergie ne peut être créée ou détruite, et que la quantité d'énergie présente dans l'univers est constante. La fameuse équation d'Einstein, $E = mc^2$, peut être comprise comme faisant partie du même concept, l'énergie et la matière étant interchangeables. La seconde loi, exprimée simplement, affirme que l'énergie tend spontanément à se dissiper. L'entropie est un moyen de mesurer cette dispersion. Bien que cette deuxième loi soit celle que nous associons au processus du vieillissement, il vaut la peine de noter que la première loi constitue le principe clé de tout régime et système visant à perdre du poids – cette perte de poids ne se concrétisera que si le nombre de calories dépensées dépasse l'apport en calories, quelle que soit la source de ces calories.

La deuxième loi est devenue célèbre en tant que raison pour laquelle de tels concepts comme les appareils au mouvement perpétuel et l'«énergie libre» sont impossibles. C'est la loi à partir de laquelle le principe de l'entropie est tiré. L'entropie décrit la manière dont les choses tendent au désordre croissant dans la nature, vers une dispersion de l'énergie disponible.

Nos corps vieillissent parce qu'avec le temps, les choses, incluant nos structures internes, tendent à devenir de plus en plus désordonnées. Par analogie, nous fabriquons des choses telles que des édifices, des voitures et des machines selon des structures systématiques et ordonnées, en fonction de critères de design spécifiques et en y investissant une certaine dose d'énergie. Mais avec le temps, ces choses ont tendance à se détériorer, à tomber en morceaux, et les éléments dont elles sont faites se dispersent. C'est la raison pour laquelle, entre autres choses, notre peau est ferme et douce au début, et qu'au bout de quelques décennies, elle affiche des rides et s'affaisse. Notre ADN programme notre structure, mais l'entropie tend à travailler avec le temps contre le caractère méthodique de notre forme programmée.

Les systèmes vivants sont des systèmes «ouverts» qui échangent continuellement de la matière et de l'énergie avec leur environnement. Lorsque nos cellules se reproduisent, elles utilisent notre ADN comme canevas (blueprint) pour créer de nouvelles cellules. L'entropie ne touche pas seulement la dispersion de l'énergie, mais elle provoque aussi la perte d'information au cours d'un tel processus. L'entropie fait en sorte que le processus de reproduction des cellules ne soit pas parfait ; avec le temps, notre organisme va subir une transformation qui résulte de la perte infime d'information d'un cycle à un autre.

LA VIE – ET LA MORT D'UNE CELLULE

Les cellules constituent les unités structurelles et fonctionnelles des organismes vivants, les « blocs de construction » de la vie. Tous les processus à l'origine de notre vie commencent au niveau cellulaire, et notre santé et notre bien-être prennent racine dans nos cellules. Le mot *cellule* provient du mot latin *cellula,* qui signifie « petite pièce », un terme élaboré, au dix-huitième siècle, par le polymathe et inventeur du microscope, Robert Hooke, lorsqu'il a comparé les cellules du liège observées à travers son microscope aux petites pièces dans lesquelles les moines habitaient.

Les mitochondries sont les usines fabriquant l'énergie des cellules. Elles produisent des molécules riches en énergie, qu'on appelle adénosine triphosphate (ATP). L'ATP est fabriquée dans les mitochondries en utilisant l'énergie stockée dans les aliments. Tout comme les chloroplastes chez les plantes agissent comme usine de sucre en vue de fournir les molécules nécessaires à la plante, les mitochondries chez les animaux agissent de manière à produire les molécules d'ATP comme source d'énergie soutenant les processus de la vie. La conversion des aliments en molécules d'énergie se fait au travers d'une réaction chimique provoquée par l'oxygène. Cette réaction produit également des radicaux libres en tant que sous-produits. Ces molécules ionisées sont hautement réactives et en retour, elles créent un stress oxydatif à l'intérieur des mitochondries. Le stress oxydatif provoque des mutations mitochondriales, une espèce de cercle vicieux au cours duquel des anormalités enzymatiques sont engendrées, entraînant davantage de stress oxydatif. C'est ce qui déclenche le processus de panne cumulative que l'on appelle le «vieillissement».

Un certain nombre de changements s'opèrent dans les mitochondries durant le processus de vieillissement. Les tissus des patients âgés démontrent une décroissance dans les activités enzymatiques clés. De grandes ratures dans le génome mitochondrial peuvent entraîner de hauts niveaux de stress oxydatif et déclencher une mort neuronale qui mène à la maladie de Parkinson. Des liens supposés entre le vieillissement et le stress oxydatif ne sont pas nouveaux et ont été proposés comme hypothèse, il y a plus de 50 ans. Toutefois, les experts n'arrivent pas à s'entendre pour savoir si les changements mitochondriaux sont la cause du vieillissement ou en sont simplement une caractéristique. Quoi qu'il en soit, nous savons que pour pouvoir composer efficacement avec les effets du vieillissement, il est nécessaire de comprendre les processus mitochondriaux.

Les radicaux libres sont le sous-produit d'un métabolisme normal, mais ils peuvent aussi résulter du fait de fumer, de la pollution, de toxines, de même que des aliments frits, parmi d'autres éléments. Les dommages causés par les radicaux libres sont associés à une augmentation du risque de nombreuses maladies chroniques. Des antioxydants tels que la vitamine C, les carotènes et la vitamine E peuvent réduire le dommage causé par les radicaux libres. Heureusement pour nous, ces antioxydants sont des éléments courants qui font partie d'un menu santé normal.

Chaque cellule au repos poursuit son activité de base. Les centaines, voire les milliers de sites récepteurs des cellules –

les protéines logées dans les parois cellulaires – sont continuellement en train de balayer l'environnement à la recherche de signaux énergétiques, que ces derniers soient de nature chimique, thermale, mécanique, électrique ou magnétique, ce qui initie un répertoire de réactions cellulaires à la fois fonctionnelles et structurelles. Les gènes sont à l'affût de ces signaux et se mettent en branle ou en mode arrêt selon leur fonction programmée.

Tandis que vous lisez ceci, des millions de vos cellules sont en train de mourir. La plupart d'entre elles sont ou bien superflues, ou bien potentiellement nuisibles, c'est pourquoi il vaut mieux pour vous en être débarrassé. En fait, votre santé repose sur l'usage judicieux de la mort programmée de vos cellules. Les cellules naissent même en étant programmées pour l'autodestruction éventuelle, équipées des instructions et des instruments nécessaires pour cela. D'abord, la cellule se rétrécit et se détache des cellules qui lui sont adjacentes. Puis, la surface de la cellule commence à se décomposer, à se fragmenter et à se briser en morceaux.

Il existe un autre type de mort d'une cellule, la nécrose, qui n'est pas planifiée, celle-là. La nécrose peut résulter d'une blessure traumatique, d'une infection, ou de l'exposition à une substance chimique toxique. Durant le processus de nécrose, la membrane extérieure de la cellule perd sa capacité de contrôler le flot de liquide qui pénètre et est expulsé de la cellule. La cellule se met alors à enfler et éclate éventuellement, libérant les substances qu'elle contient dans le tissu environnant. Les cellules immunitaires inondent alors la région de tissu affectée, mais les produits chimiques utilisés par ces cellules provoquent l'inflammation de la région, qui devient alors une zone sensible. Un exemple courant de cela serait une brûlure provoquée par la chaleur vive d'une cuisinière, avec la rougeur et la douleur qui s'ensuivent.

Un grand nombre de blessures différentes peuvent amener les cellules à mourir de nécrose. C'est ce qui arrive aux cellules du cœur durant une crise cardiaque, aux cellules des doigts ou des orteils ayant subi des engelures et aux cellules des poumons durant une pneumonie.

LES TÉLOMÈRES

À l'intérieur de nos cellules, nos molécules d'ADN sont logées dans nos chromosomes, transportant les codes qui définissent notre nature. Chaque brin d'ADN est couronné de télomères qui couvrent les extrémités des chromosomes, tout comme le capuchon de plastique recouvre l'extrémité d'un lacet pour l'empêcher de s'effilocher. Dans le cours normal de la croissance d'une cellule et de sa duplication, les télomères se trouvent peu à peu raccourcis, jusqu'à ce qu'ils atteignent une limite intrinsèque. À cette étape, la cellule ne peut plus se diviser (le processus connu en tant que mitose) et elle commencera à mourir. La limite du nombre de fois où un télomère peut se rétrécir est identifiée comme étant la limite de Hayflick, d'après le microbiologiste, Leonard Hayflick, qui a découvert le phénomène en question.

L'enzyme télomérase, qui peut être produite à la fois naturellement et de manière synthétique, s'est révélée apte à inhiber le rétrécissement des télomères, ce qui a engendré d'intenses activités de recherche pour déterminer si ce phénomène n'était pas un moyen de prolonger la vie. Le prix Nobel de médecine pour l'année 2009 a été attribué à des chercheurs qui font un travail pionnier dans ce domaine spécifique d'étude. Malheureusement, l'enzyme télomérase est également associée aux cellules cancéreuses et à leur croissance incontrôlable. Beaucoup de recherches et de découvertes restent à faire dans ce domaine.

DÉFINIR CE QU'EST LA SANTÉ

Nous parlons parfois de santé d'une manière frivole, comme si sa signification était comprise universellement. Pour plusieurs, santé signifie simplement absence de maladie. Un autre large segment de la population considère que sa santé serait compromise s'il perdait un certain niveau de forme physique. Ce que nous savons avec certitude est que santé et longévité sont interdépendantes l'une de l'autre. Aucun examen attentif du phénomène de la longévité ne saurait être entrepris sans une compréhension exhaustive de ce qu'est la santé : quelle est sa définition, quels sont les éléments qui la composent, et que signifient ses différents niveaux.

> La santé est un état de bien-être complet sur les plans physique, mental et social, et pas uniquement l'absence de maladie ou d'infirmité.

Cette définition, adoptée par l'Organisation mondiale de la santé lors de sa fondation, en 1946, est étonnamment toujours considérée comme étant controversée. Nous la trouvons louable dans son élan et son intention, mais néanmoins vague et subjective. La conception de ce que constitue le bien-être peut varier énormément d'une personne à une autre. La santé doit être clairement formulée dans des termes qui soulignent notre potentiel en tant qu'organismes vivants. Nous sommes le résultat de millions d'années d'évolution, d'adaptation darwinienne et de peaufinage. La question que nous devons poser est la suivante : fonctionnons-nous comme notre conception le veut par notre encodage génétique ? Lorsque chaque élément de notre être fonctionne de manière optimale – et *fonctionner* est sûrement le verbe clé ici – alors nous nous trouvons sans contredit dans un état de santé optimale.

Une telle affirmation risque de susciter la question : mais quel est ce potentiel dont vous parlez, au juste ? La santé devrait être comprise de manière à indiquer jusqu'à quel point nous sommes près de la limite de tout ce que nous pourrions potentiellement être. Nous pouvons mieux comprendre quel est notre potentiel – ainsi que ses facteurs limitatifs– en analysant quels sont les déterminants biologiques de la santé.

LES FACTEURS DÉTERMINANTS DE LA SANTÉ

Il peut être utile de penser à la santé en fonction de quatre facteurs fondamentaux qui, considérés ensemble, déterminent l'état de notre santé. La métaphore de la santé d'une voiture va nous aider à illustrer cela. La vie d'une voiture repose sur quatre éléments distincts : sa conception, les accidents, l'entretien et le vieillissement. Si la voiture a des vices de conception, si elle est impliquée dans un accident majeur, si son entretien laisse à désirer, elle n'aura que peu de chance de vieillir. Les mêmes quatre catégories s'appliquent à l'organisme humain, mais nous allons les renommer plus justement comme étant les gènes, les facteurs externes, les facteurs internes et le vieillissement. Ces quatre facteurs, intervenant dans une série de combinaisons et de chronologies innombrables, reflètent la totalité de l'expérience de santé des humains, à la fois sur le plan collectif et individuel. D'un point de vue hypothétique, si les trois premiers des quatre facteurs pouvaient être stabilisés par le biais d'un schéma ou d'un ensemble de gènes parfaits, s'il n'y avait aucun accident de parcours, ni aucune perturbation externe, et s'il y avait un entretien idéal, accompagné de dynamiques internes parfaitement équilibrées, nous aurions alors la possibilité de mourir de cause naturelle à la limite de notre potentiel.

LE FACTEUR GÈNE

La croyance populaire veut que les gènes, notre héritage familial, soient le facteur clé derrière nos chances de vivre une vie exceptionnellement longue. Cela fait partie d'un profond malentendu et témoigne d'une réelle incompréhension de ce que sont les gènes.

Il existe une fausse conception très répandue selon laquelle les gènes seraient les agents impassibles d'un certain déterminisme qui définissent en quelque sorte qui nous sommes et ce que nous allons devenir. «C'est dans ses gènes» est une expression familière fortement teintée de fatalisme. Ceci tend à donner l'impression que nous sommes condamnés à certains résultats et que ce qui nous attend dans l'avenir est en grande partie en dehors de notre contrôle.

Il y a beaucoup de choses qui clochent dans une telle interprétation. Considérant à quel point nous connaissons bien la composition et la biochimie des gènes, de telles fausses conceptions sont difficiles à justifier.

Le grand intérêt public entourant le travail de recherche du *Human Genome Project* a créé l'impression injustifiée que nous étions sur le point de pouvoir décoder et élucider entièrement les processus génétiques à l'origine de la vie. Une telle supposition s'est révélée complètement fausse et trompeuse, au préjudice de la connaissance du public à l'égard du savoir scientifique entourant les gènes. Dans la pensée de la plupart des gens persiste la notion que des gènes spécifiques contrôlent des fonctions spécifiques et déterminent certains résultats spécifiques, comme le déclenchement d'un grand nombre de maladies, de même que notre espérance de vie.

Premièrement, les gènes doivent être «exprimés». Ce que cela signifie est qu'ils sont comme des boutons qui doivent être actionnés, de manière à pouvoir accomplir leurs fonctions désignées. Une manière encore meilleure de décrire le phénomène est de penser aux gènes comme étant des boutons gradateurs, ayant une capacité de réponse variable, et non une simple capacité d'arrêt/marche. Deuxièmement, les gènes ont l'habitude d'agir de concert, en groupe, ou même en réseau.

Nous connaissons maintenant une dimension importante de l'histoire des gènes. Les gènes sont rarement programmés pour fonctionner indépendamment. Ils travaillent en ensembles bien coordonnés, lesquels sont à leur tour étroitement reliés à des complexes métaboliques biochimiques. Les hormones constituent d'importants modulateurs. Les gènes sont fonctionnellement délocalisés et structurellement entremêlés. Les gènes sont des entités plastiques et dynamiques. Le biologiste évolutionniste, Richard Dawkins, a inventé le terme « cartel de gènes » pour décrire leur mode de fonctionnement en groupe, et la récipiendaire du prix Nobel de médecine de 1963, Barbara McClintock, a découvert le phénomène du flux génétique, ou mobilité des gènes. Les gènes s'avèrent souvent redondants, de sorte que la notion même de *un gène = une fonction* est tout simplement non valide, bien que ce concept demeure un paradigme largement accepté dans l'imagination du public.

Nous savons que des milliers de gènes sont impliqués dans la construction d'un œil, d'un cœur, d'un cerveau, etc. Dans le cas des maladies, un récent estimé suggère que seulement environ 2 pour cent des maladies connues sont déclenchées par un gène unique. Ce qui est plus courant, c'est lorsque la complexité règne. On affirme même qu'une maladie génétique identifiée, telle la fibrose kystique, présente 350 profils génétiques différents dans sa description. Une suggestion utile serait de voir les gènes non pas comme des agents autonomes, mais comme des éléments jouant un rôle quelconque dans des processus dynamiques complexes. Ces processus impliquent habituellement la formation de protéines qui provoquent la transformation de l'énergie en structure, des cellules nouvelles qui deviennent les blocs de construction d'ensembles aux fonctions variées.

Une approche largement utilisée pour déterminer quelle portion d'un processus particulier est attribuable à des contributions génétiques, est d'examiner l'historique de santé de jumeaux identiques. Si les gènes étaient les seuls facteurs déterminants, et les trois autres agents s'avéraient des facteurs négligeables pour assurer la santé, les jumeaux identiques mourraient alors plus ou moins simultanément de la même maladie. Or, c'est loin d'être le cas dans la réalité. Les maladies neurologiques les plus répandues chez les personnes âgées (la maladie de Parkinson et la maladie d'Alzheimer, tout spécialement) ont été reconnues comme ayant très peu ou pas du tout de concordance chez les jumeaux.

Des études plus approfondies auprès de jumeaux identiques et de faux jumeaux ont révélé que l'hérédité est responsable d'aussi peu que 15 à 20 pour cent des différences en termes de longévité humaine. Une étude effectuée auprès de jumeaux suédois et publiée en 1998 semble établir la limite supérieure de contribution génétique à 33 pour cent. Il est maintenant généralement admis que la contribution génétique, pour ce qui est de notre état de santé général et de notre espérance de vie, se situe à un niveau qui oscille entre 20 et 25 pour cent.

FACTEURS EXTERNES :
MALADIES INFECTIEUSES ET ACCIDENTS

À travers l'histoire, la plus grande menace à la santé humaine a toujours été la rencontre funeste d'un danger venant de l'extérieur.

Cette menace pouvait varier de l'attaque d'un prédateur à une blessure par balle ou d'une lance, ou encore à l'intrusion d'un virus quelconque. Les conséquences pouvaient être soit superficielles, soit fatales.

La science médicale s'est mérité une bonne partie de ses louanges en trouvant le moyen de neutraliser ces agents externes – blessures, infections et maladies infectieuses. Ce sont ces facteurs qui ont donné forme aux institutions médicales que nous connaissons aujourd'hui.

L'enjeu de la prévention est important lorsque nous considérons les agents externes comme des facteurs déterminants pour la santé. La plupart des cas d'infection, de blessure ou de malignité sont évitables ; qui plus est, il est beaucoup plus facile et, à l'évidence, moins coûteux, de les prévenir que de les guérir. Ou, comme le médecin et poète du dix-neuvième siècle, Oliver Wendell Holmes, l'a écrit : « Le bouclier est plus noble que la lance. »

FACTEURS INTERNES : L'ENTRETIEN

La métaphore de la voiture, utilisée précédemment, est nulle part plus pertinente que dans l'agence interne, le facteur relié à l'entretien. Il est facile d'imaginer les conséquences lorsqu'une voiture n'est pas bien entretenue en général. Une voiture bien entretenue peut garder belle apparence et avoir la performance d'une neuve indéfiniment. Celle dont l'entretien est de piètre qualité démontrera des signes de fatigue prématurée et aura une durée de vie plus courte.

Imaginez conduire une voiture en utilisant un carburant de piètre qualité, ou une essence ayant été contaminée ou viciée d'une manière ou d'une autre, et durant une longue période de temps. Ou utiliser un type d'huile à moteur inapproprié, ou ne jamais changer l'huile du tout. Ou négliger de garder les pneus gonflés. De tels exemples (et d'autres encore) de mauvais entretien auront pour résultat des pannes systémiques de la voiture d'une manière dont nous avons tous fait plus ou moins l'expérience. Et une période prolongée de négligence au niveau de l'entretien aura pour résultat une escalade de problèmes mécaniques dans lesquels la panne de telle composante du moteur entraînera la panne de telle autre, puis de telle autre, jusqu'à ce que la voiture n'arrive plus à rouler du tout.

L'agence interne du corps humain comporte deux éléments principaux : la nutrition et l'exercice. Les deux sont un héritage de notre passé évolutif et constituent les points cruciaux de nos choix de vie. Le fait que notre corps soit extraordinairement complexe aggrave le problème. Un niveau plus élevé de complexité dans n'importe quel système signifie toujours une augmentation des possibilités que quelque chose se détraque.

L'homme primitif, comme il a été mentionné déjà, avait une espérance de vie réduite principalement à cause de la famine et des prédateurs éventuels, comme c'est le cas pour la plupart des animaux. Le besoin de nous prémunir contre la famine nous a donné un appétit pour les aliments ayant une forte densité calorifique (lesquels, soit dit en passant, ne se trouvent pas dans la nature mais sont plutôt le produit de technologies modernes de production des aliments). En un bref instant sur la ligne du temps des humains, voilà que les choses qui nous menaçaient et nos habitudes de vie ont connu une transformation radicale. Par conséquent, nous assistons de nos jours à une prolifération de l'obésité et de ses effets éventuels, dont le diabète de type 2. Encore plus révélatrice est la découverte, faite au cours d'une récente étude de l'Organisation mondiale de la santé (OMS), voulant que pour la première fois dans l'histoire de l'humanité, la planète comporte désormais plus de personnes obèses que de personnes ayant un poids insuffisant.

Dans la génération qui nous a précédés, les enfants souffrant d'obésité excessive étaient relativement rares. De nos jours, ils sont monnaie courante et dans certains endroits, ils constituent même la norme. Face à une telle vague d'obésité, l'organisme *Centers for Disease Control* a justement noté que les enfants de l'ère présente risquent de constituer la première génération depuis la fondation de notre nation à avoir une espérance de vie plus courte que ses parents.

Notre agence interne est dirigée par le flot énergétique, ou la qualité de la circulation d'énergie au niveau cellulaire. Dans le cas de l'obésité et de ses répercussions sur la santé, une contribution énergétique excessive constitue un facteur perturbateur.

Une contribution énergétique trop faible est le résultat de l'inactivité. Lorsqu'il y a trop d'interface énergétique, ce phénomène est défini par le terme « stress », et lorsqu'il n'y en a pas assez, on parle alors de « désuétude ». Ces deux conditions entraînent des conséquences négatives sérieuses pour les organismes affectés, et les deux sont inadéquatement reconnues comme des menaces fondamentales à la santé. Une des raisons pour lesquelles il est difficile de bien identifier ces conditions est la longue période de temps qu'il faut pour mesurer le lien de cause à effet. Les effets de la désuétude et du stress sur l'organisme ne se font voir que sur une très longue période de temps. Les deux accumulent leurs effets selon des degrés qui ne sont pas toujours facilement identifiables à mesure qu'ils se produisent, ce qui explique leur caractère plutôt insidieux. Le stress est compris ici dans son sens le plus large. Il inclut le stress mental et psychologique, si intimement lié à la vie moderne, ainsi que des réactions physiologiques diverses identifiées par l'endocrinologue d'origine canadienne, Hans Selye, qui a fait du terme « stress » une expression à la mode décrivant si bien notre époque.

En des termes les plus simples qui soient, donc, l'agence interne correspond à la condition physique d'un individu résultant de son niveau d'exercice et de son alimentation, avec l'appui du bien-être psychologique. Une bonne partie de notre conception actuelle de la forme physique nous vient d'une étude marquante, dirigée par le Dr Steven Blair, directeur de recherche à la Cooper Clinic de Dallas, au Texas. Le rapport du Dr Blair, intitulé « Physical Fitness and All Causes of Mortality: A Prospective Study of Healthy Men and Women », demeure une référence pour ce qui est de notre compréhension de la relation qui existe entre la condition physique, la santé et la mortalité. L'étude Blair a fait le suivi de 13 344 participants sur une période de huit ans. La conclusion en est que le groupe affichant la moins bonne forme physique a fait l'expérience d'un niveau de risque de trois à quatre fois plus grand de mortalité que le groupe le plus en forme. Il y a eu une corrélation non équivoque entre la condition physique et la longévité.

Le groupe Blair a effectué la mise à jour de son étude dans un rapport publié en 2007. Dans ce cas, les chercheurs ont évalué 2 603 personnes ayant plus de 60 ans, sur une période de 12 ans. Les bienfaits évidents pour la santé et la longévité associés à la forme physique et indiqués par la première étude ont été confirmés dans la seconde. Les données démographiques touchant les gens ayant plus de 60 ans soulignent qu'au lieu de dire : « Vous êtes trop vieux pour faire de l'exercice », la recommandation devrait plutôt être : « Vous êtes trop vieux pour ne pas faire de l'exercice. »

Le groupe Blair a effectué la mise à jour de son étude dans un rapport publié en 2007. Dans ce cas, les chercheurs ont évalué 2 603 personnes ayant plus de 60 ans, sur une période de 12 ans. Les bienfaits évidents pour la santé et la longévité associés à la forme physique et indiqués par la première étude ont été confirmés dans la seconde. Les données démographiques touchant les gens ayant plus de 60 ans soulignent qu'au lieu de dire : « Vous êtes trop vieux pour faire de l'exercice », la recommandation devrait plutôt être : « Vous êtes trop vieux pour ne pas faire de l'exercice. »

Le caractère bienfaisant ne provient pas nécessairement de l'exercice physique tel qu'on le conçoit généralement dans le contexte d'un gym ou d'une activité reliée à un sport compétitif, mais plutôt des éléments énergétiques fournis aux sites de récepteurs de nos cellules dans le contexte d'un style de vie actif qui produit un effet déterminant sur l'ensemble de l'organisme par le biais de chacun des organes et fonctions qui soutiennent les processus à la base de la vie humaine.

LE PROCESSUS DU VIEILLISSEMENT EN TANT QUE FACTEUR DÉTERMINANT POUR LA SANTÉ

Le vieillissement, comme la vie elle-même, est beaucoup plus qu'une question d'atomes et de molécules. Son processus dépasse largement le cadre de la physique et de la chimie et on traite actuellement le sujet dans des termes de principe d'*émergence,* comme c'est le cas pour le phénomène de la vie elle-même. L'émergence pourrait être comprise comme le résultat de plusieurs processus simples se fusionnant en des comportements plus complexes lorsqu'ils travaillent de concert, avec de toutes nouvelles propriétés qui en résultent.

Il y a soixante ans, le chirurgien et biologiste français, Alex Carrell, s'est mérité un prix Nobel pour avoir cherché à démontrer que les cellules cultivées en milieu isolé étaient éternelles. De ses résultats de recherche, nous aurions pu présumer que le vieillissement ne s'opère pas au niveau cellulaire. Malheureusement, il avait tort. Leonard Hayflick a fait la preuve décisive que les cellules nourries avec soin dans des plaques de culture cellulaire avaient une durée de vie déterminée. Les complexités intracellulaires de ce vieillissement programmé n'ont pas encore été élucidées clairement, mais nous en savons assez pour comprendre qu'il nous est impossible de séparer vieillissement et vie humaine.

À strictement parler, le processus du vieillissement ne peut être renversé. Cela ne signifie pas pour autant que les fonctions des vieilles personnes vont inévitablement empirer avec le temps. Des améliorations étonnantes qui semblent renverser le cours des ans chez certaines personnes âgées peuvent se produire lorsque les gens font appel à leur potentiel phénotypique non actualisé jusqu'ici (autrement dit, leur capacité d'améliorer leur condition physique par des actions spécifiques telles que l'exercice), un concept que nous allons examiner plus en détail dans les chapitres subséquents. Plus important encore, l'âge ne constitue jamais une barrière à l'amélioration phénotypique, ce qui nous amène à une de nos maximes préférées au sujet de l'exercice physique : « Il n'est jamais trop tard pour commencer, mais il est toujours trop tôt pour arrêter. »

Basé sur notre capacité d'assimiler l'oxygène (on parle d'habitude de consommation d'oxygène) comme exemple important et instructif, le véritable changement dû à l'âge indique que la personne moyenne fera l'expérience d'un déclin de un demi pour cent par an dans sa capacité de transformer l'oxygène en carburant. Toutefois, dans le cas où une énergie insuffisante est fournie suite à l'inactivité, ce niveau de déclin peut atteindre 2 pour cent ou plus par année. Plus important encore, ces valeurs peuvent être radicalement améliorées grâce à un programme d'exercices pour personnes âgées et en mauvaise condition physique.

Le travail du Dr Herbert DeVries, à l'université du Sud de la Californie, nous donne une idée de la résilience dont nous pouvons faire preuve dans un programme de rattrapage d'exercices physiques (nous ferons référence à cette résilience plus tard comme étant la plasticité phénotypique). Les participants à l'étude de DeVries, dont la moyenne d'âge était de 71 ans, ont vu leur consommation d'oxygène mesurée, puis le groupe s'est soumis à un programme d'exercice et de nutrition. À la fin de la période d'étude, la mesure de consommation moyenne d'oxygène était équivalente à celle d'individus de 28 ans. Cette différence stupéfiante de 40 ans et plus fait la preuve évidente du niveau de contrôle que nous pouvons avoir sur les effets du vieillissement.

Des études sur des patients dans des maisons de retraite révèlent les véritables bienfaits, dans la vraie vie, d'encourager les résidents à conserver leur vigueur et à maintenir leurs environnements. Les résidents en bonne forme physique vivent plus longtemps et ils effectuent moins de visites à l'hôpital que leurs vis-à-vis en mauvaise condition physique. Qui plus est, les patients âgés mais en bonne forme physique qui se retrouvent à l'unité des soins intensifs d'un centre hospitalier s'en tirent aussi bien que les patients plus jeunes dans des circonstances similaires.

De toute évidence, nous pouvons définir le vieillissement comme l'« usure normale, moins les réparations », ou pour le dire autrement, la différence nette qu'il y a entre la panne éventuelle de certaines de nos composantes et la propension du corps à restaurer, reconstruire ces éléments. Nos

Les participants à l'étude de DeVries, dont la moyenne d'âge était de 71 ans, ont vu leur consommation d'oxygène mesurée, puis le groupe s'est soumis à un programme d'exercice et de nutrition. À la fin de la période d'étude, la mesure de consommation moyenne d'oxygène était équivalente à celle d'individus de 28 ans. Cette différence stupéfiante de 40 ans et plus fait la preuve évidente du niveau de contrôle que nous pouvons avoir sur les effets du vieillissement.

études antérieures ont démontré que le degré naturel de vieillissement se situe à environ un demi de un pour cent par année. Toutefois, lorsque la santé de n'importe quel organe se trouve compromise et sa fonction détériorée, le déclin se fait plus rapidement de manière mesurable. C'est là une donnée fondamentale touchant le vieillissement et elle nous indique à quel point les choix de vie sont en corrélation avec les variances par rapport aux 100 ans éventuels qui nous sont alloués. L'usage du tabac, pour citer un exemple éloquent, compromet les fonctions respiratoires et les cellules des poumons « vieillissent » effectivement plus rapidement. L'abus fréquent d'alcool peut endommager les fonctions du foie et accélérer son déclin, et ainsi de suite.

DIFFÉRENTES MANIÈRES DE VIEILLIR

Le corps humain n'est pas du tout une masse homogène, mais c'est plutôt un assemblage de réseaux comportant différentes structures et systèmes. Le vieillissement affecte différents tissus à des rythmes différents, et différentes parties du corps vieillissent selon des étapes différentes. Un article récent du *New Scientist* raconte l'histoire du Norvégien de 80 ans à qui on a transplanté la cornée d'un individu de 70 ans, il y a 50 ans. Le tissu de cette cornée accuse maintenant plus de 120 ans d'âge et fonctionne toujours, un exemple remarquable de l'endurance des cellules.

D'autres organes sont constitués de différents types de tissus. Ils fonctionnent dans des environnements biochimiques et biomécaniques différents, comportant différentes contributions (entrées) et productions (sorties). Leurs missions sont radicalement différentes. Et bien évidemment, ils ont tendance à prendre de l'âge, à perdre leurs capacités fonctionnelles et ce, à des niveaux différents.

D'autres espèces ont comme caractéristique de vivre plus longtemps que les êtres humains, ce qui suggère une variété des dynamiques parmi les organismes vivants, mais qui confirme également la notion selon laquelle la longévité est un processus complexe et systémique qui ne peut être réduit à un seul facteur déterminant. Voici quelques-uns des nobles Mathusalem sur la planète :

- L'éponge hexactinellide : 15 000 ans
- Le pin Bristlecone : 4731 ans
- L'éponge épibenthique : 1550 ans
- Le quahog nordique : 400 ans
- La baleine boréale : 211 ans
- Le sébaste à œil épineux : 205 ans
- L'oursin rouge géant : 200 ans

Nombre d'études ont été menées sur des populations à longue vie dans des endroits géographiques spécifiques. Récemment, la *National Geographic* a fixé son attention sur des populations de centenaires anormalement élevées à Okinawa, au Japon, en Sardaigne, en Italie et à Loma Linda, en Californie (cette dernière était une concentration d'adventistes du septième jour). Tous ces cas ont révélé que le mode de vie, plutôt qu'un quelconque facteur génétique, constituait la raison clé sous-jacente de cette longévité.

CHAPITRE 2

L'ÉQUIVALENCE ENTRE DÉSUÉTUDE ET VIEILLISSEMENT

L'IMPÉRATIF DU MOUVEMENT

La vie commence avec le mouvement. Le mouvement constitue une métaphore de la santé et de la vie elle-même. C'est également ce pourquoi nous avons été conçus. Nous sommes nés pour bouger. Le contraire du mouvement est l'immobilité – une métaphore de la mort.

Le mouvement implique beaucoup plus que le fait de marcher et de courir, par ailleurs. La vie dans son ensemble est en mouvement, même dans ses formes les plus primitives. Les bactéries sont en mouvement, et pas juste d'une manière arbitraire et passive, mais d'une manière intentionnelle qui assure le maintien des deux éléments de base de la vie : métabolisme et reproduction.

Si on jette un coup d'œil à l'échelle de l'évolution à partir du bas vers le haut, il devient de plus en plus clair que tout animal qui est frappé d'incapacité à cause d'une blessure, de la famine, de la chaleur, du froid ou de l'âge, voit ses risques de mourir augmenter alors considérablement. Les tribus paléolithiques ont été forcées d'abandonner certains membres qui n'arrivaient plus à marcher. Les animaux infirmes dans la nature n'ont aucune chance de survie et périssent. Le mouvement n'est pas seulement une indication qu'on est en vie, il est essentiel à la vie même.

Une histoire corollaire allant dans le même sens et soulignant l'importance du mouvement dans le développement du cerveau est celle de l'ascidie. Cette créature marine primitive débute sa vie en tant que larve motile, avalant tout ce qu'elle peut attraper. Ses mouvements sont sous le contrôle de son ganglion cérébral, une forme rudimentaire de cerveau. Puis l'animal se fixe sur une tête de corail et abandonne son style de vie libre, avalant uniquement la nourriture qui dérive dans sa direction. À mesure que l'ascidie devient moins dépendante de sa capacité de mouvement, elle utilise de moins en moins son cerveau et éventuellement, elle expulse son cerveau et le mange !

De haut en bas de l'échelle des espèces, nous constatons que les animaux qui bougent davantage ont un cerveau plus volumineux. De plus, les espèces domestiquées ont tendance à avoir un cerveau plus petit à cause de la domestication et des contraintes qui s'en suivent en termes de limite à leur mobilité. Pour les humains, il y a une forte suggestion indiquant que la raison pour laquelle notre cerveau de « sapiens » s'est développé énormément en comparaison – trois fois la grosseur de notre plus proche cousin, le chimpanzé – est que nous sommes devenus des « chasseurs obstinés », avec la dépense plus grande d'énergie que cela implique, ce qui exigeait par conséquent un cortex cérébral plus volumineux. De récentes recherches en neurochimie révèlent que l'exercice constitue un puissant stimulus pour le facteur neuro-trophique dérivé du cerveau (FDNF), substance d'une importance capitale et qui est déterminante pour le développement et la croissance du cerveau.

Notre corps contient la somme plutôt étonnante de plus de 600 muscles striés, articulant chacun de nos mouvements. Nous avons 230 jointures mobiles ou légèrement mobiles, et il y existe six degrés de liberté de mouvement (capacité de bouger dans n'importe quelle direction selon trois axes différents) pour chacune d'elle, ce qui veut dire que nous avons 1 380 mouvements de base sous notre contrôle musculaire. Maintenant, considérez ceci : en observant les gens bouger à distance, il est souvent très facile de discerner s'ils sont jeunes ou vieux, sans avoir besoin d'être assez près pour voir leurs caractéristiques, simplement à la manière dont ils bougent. Les mouvements des personnes âgées ont tendance à être remarquablement moins fluides et limités à un ensemble plus restreint de possibilités. Les aînés démontrent les signes évidents d'une perte régressive de la gamme complète des mouvements.

Notre capacité de bouger dans tous les sens tel que nous avons été conçus pour le faire est également une mesure d'un vieillissement réussi, parce que c'est là un indicateur primordial de notre capacité de fonctionner. Ce que nous savons à partir d'une abondance d'études, est que l'usage régulier de toutes nos capacités est la seule manière de nous assurer que toutes ces capacités peuvent être maintenues. Un usage limité va réduire les réactions énergétiques d'une articulation lui permettant de réapprovisionner les tissus conjonctifs et de produire les fluides synoviaux qui lubrifient cette articulation et lui servent d'amortisseur, tout en alimentant les cartilages environnants. Les conséquences se font voir sous la forme de problèmes chroniques de douleurs aux articulations et d'inflammation qui réduisent la mobilité d'un si grand nombre d'individus durant les dernières années de leur vie.

LA DÉSUÉTUDE ET LE VIEILLISSEMENT

Quiconque souffre d'une fracture à la jambe et de l'inconfort de voir cette jambe immobilisée dans un plâtre pour quelques mois ne pourra s'empêcher de constater avec un certain effroi à quel point le membre aura été altéré radicalement, une fois que le plâtre est enlevé. Dans la majorité des cas, la jambe en question aura l'apparence d'une « vieille » jambe. Elle paraîtra flétrie, affichant une perte de volume et de tonus. Même sa couleur sera blême. Ce sera comme si elle avait subi un énorme vieillissement prématuré. Tout cela sera le résultat du fait que le membre en question n'a pas été utilisé.

Il y a une bonne raison pour cela, et elle est inscrite dans l'héritage qui nous revient comme résultat de notre évolution. Notre structure génétique est constituée de manière à maintenir un certain équilibre entre un apport énergétique et une dépense d'énergie qui était caractéristique aux sociétés de chasseurs-cueilleurs. À l'exception d'une poignée d'adaptations génétiques mineures qui ont eu lieu depuis l'ère de la révolution de l'agriculture, telle que la tolérance au lactose chez les Caucasiens, nous sommes génétiquement identiques à nos précurseurs de l'âge de la pierre.

La vie de l'homme du paléolithique était caractérisée par le mouvement et bien souvent la course. Une variété de méthodes d'analyse en médecine légale nous permettent de conclure que l'adulte typique de l'âge de la pierre dépensait cinq fois plus d'énergie que son équivalent moderne. Les examens de structures osseuses fossiles nous donnent des indices quant à la taille et au poids de nos ancêtres et aux types d'activités qui remplissaient leur quotidien. Il est généralement admis qu'ils devaient passer une journée à la fois ou plus à se déplacer rapidement, souvent à la course, à la poursuite d'un animal sauvage. Lorsque la chasse avait porté fruit, ils devaient alors transporter leur prise jusqu'au camp, ce qui pouvait s'avérer un défi encore plus grand que la poursuite initiale. Il nous est ainsi possible d'imaginer nos ancêtres en train d'effectuer leur course à travers la campagne sur une quinzaine de kilomètres, pour ensuite se charger d'une bête de 25 kilos avant de faire le trajet de retour.

Les femmes de l'époque paléolithique avaient un profil énergétique passablement similaire. Les heures de la journée étaient investies à travailler, incluant une bonne partie de la « cueillette » des aliments, ainsi que la préparation des repas, la fabrication des vêtements et d'un abri, le déplacement du camp, et un peu de chasse également. Les différences de dépense énergétique entre les hommes et les femmes n'étaient pas vraiment significatives.

La révolution de l'agriculture a entraîné le premier changement majeur dans ces habitudes de vie. La dépense en calories associée à la culture des champs était certainement importante, selon nos standards modernes, mais elle était bien inférieure à celle qui est associée au mode de vie des chasseurs-cueilleurs. La révolution industrielle du dix-neuvième siècle a été le témoin d'un autre déclin considérable dans les exigences énergétiques, à mesure que nous avons conçu des outils et des machines pour prendre en charge nombre de tâches qui avaient été jusque-là accomplies par la simple force musculaire. Finalement, nous sommes nous-mêmes en train de constater les effets de la révolution digitale : les sociétés sont devenues encore plus indolentes et nous avons tendance à voir l'exercice comme un luxe dont un individu peut jouir, dans la mesure où il devient membre d'un gym pour gens riches ou un centre de santé.

Ce n'est pas une coïncidence si cette dernière «révolution» est en corrélation avec une croissance pharamineuse de cas d'obésité et de diabète de type 2 à travers le monde, entraînant une crise dans les soins de santé à l'échelle nationale qui a des proportions catastrophiques. Nombre de sondages à travers le pays indiquent qu'au moins 4 adultes sur 10, aux États-Unis, sont considérés comme étant en grande partie inactifs. Cela veut dire qu'ils occupent un emploi sédentaire, qu'ils ne pratiquent aucun sport et ne s'adonnent à aucune activité physique ou de loisir, et qu'ils sont généralement inactifs à la maison.

Le Dr Steven Blair, de l'*Arnold School of Public Health,* de l'université de la Caroline du Sud, a été l'éditeur en chef du rapport *Surgeon General's Report on Physical Activity and Health* (Rapport du chef du service général de la santé, touchant l'activité physique et la santé) de 1996, et il est professeur en science de l'exercice et en épidémiologie. Une étude longitudinale à grande échelle, sous la direction du Dr Blair, a répertorié plus de 80 000 adultes depuis 1970. Les participants à la recherche ont été testés, mesurés et interviewés régulièrement ; les membres du personnel de l'étude ont fait l'inventaire de leurs bilans médicaux, leur constitution physique et leur index de masse corporelle, tout en mesurant leur niveau de stress et autres facteurs reliés au mode de vie. À partir de ces données, le Dr Blair a carrément conclu que la vie sédentaire peut s'avérer funeste, et qu'elle est, en fait, une des principales causes de mortalité précoce.

Les études indiquent que le niveau de forme physique est un indice important de mortalité. Une étude de suivi d'envergure, impliquant plus de 40 000 participants, a déterminé que des niveaux de condition physique médiocre étaient responsables de

16 pour cent de tous les décès, quel que soit le sexe des individus. Cette donnée a été obtenue en estimant le nombre de décès
qui auraient pu être évités si les sujets avaient simplement une
condition physique acceptable. Une simple marche de 30 minutes
par jour peut ajouter six ans à l'espérance de vie d'une personne
inactive.

Un examen plus en profondeur de près de 15 000 personnes
inscrites au programme a démontré que les femmes qui avaient
un excellente forme physique étaient 55 fois moins susceptibles
de décéder d'un cancer du sein que celles qui étaient clairement
en mauvaise condition physique. Ce fait des plus remarquables
a été révélé après que d'autres facteurs de risques connus –
incluant l'index de masse corporelle (IMC), l'habitude de fumer,
ainsi que les antécédents familiaux de cancer du sein – et d'autres
facteurs de risques aient été pris en considération.

Ces découvertes ont été stoïquement présentées lors de la
convention annuelle de l'*American Psychological Association,*
sous le titre de « Inactivité physique : le plus grand problème de
santé publique du 21e siècle ». Blair note qu'au cours des quelques décennies passées, nous avons largement réussi à éliminer
le besoin d'activité physique de la vie quotidienne de la plupart
des gens au sein de la société contemporaine, et il ajoute que le
message est simple – faire *quelque chose* est mieux que ne rien
faire du tout ; en faire *davantage* est mieux qu'en faire *moins*
(jusqu'à un certain point). Notre propre inactivité constitue le
plus grand défi à l'agenda pour ce qui est de la santé publique.

Une autre étude longitudinale, cette fois par une équipe de
chercheurs de Harvard, a fait le suivi d'un groupe de 2 357 hommes
ayant une moyenne d'âge de 72 ans et qui étaient généralement en
bonne santé. Cette étude a compilé des données entourant le
déterminant non génétique d'une longévité exceptionnelle. La

recherche visait à découvrir les preuves concluantes associées avec des facteurs modifiables, c'est-à-dire des choix de vie associés avec une durée de vie de 90 ans ou plus. Les chercheurs ont découvert que l'exercice régulier avait pour résultat une réduction de près de 30 pour cent du risque de mortalité et que les individus qui avaient choisi un style de vie sain (ceux qui faisaient régulièrement de l'exercice, qui étaient non fumeurs et qui ne démontraient aucun symptôme d'hypertension, de diabète ou d'obésité) à l'âge de 70 ans, avaient 54 pour cent de chances de vivre jusqu'à 90 ans ou davantage. De plus, ces participants en bonne santé ont démontré de meilleures fonctions physiques en fin de vie, de même qu'un bien-être mental et une incidence plus faible de maladies chroniques généralement associées avec le vieillissement. L'exercice régulier s'est révélé comme étant le facteur déterminant d'une longévité en bonne santé et pleinement fonctionnelle.

CE QUI N'EST PAS UTILISÉ SE PERD

Il ressort très clairement que l'inactivité a un effet négatif sur la santé et, en fait, elle diminue l'espérance de vie potentielle des individus. Dans le répertoire analytique de la médecine clinique contemporaine, il n'existe pas jusqu'à présent de manière cohérente de classifier les effets que nous voyons maintenant comme résultant de l'inactivité. Le modèle médical standard, qui cherche à identifier les agents extérieurs (virus et autres pathogènes) comme cause des maladies, nous empêche de comprendre plus pleinement la physiologie du vieillissement. En fait, nous savons maintenant que nombre de maladies qui sont si répandues parmi les personnes âgées sont distinctes du processus de vieillissement lui-même et doivent être considérées séparément.

Elles sont plutôt la conséquence de longues périodes d'inactivité.

L'inactivité peut s'avérer mortelle, en réalité. Le fait de garder le lit durant 72 heures diminue l'utilisation du glucose de 50 pour cent. L'incidence de diabète augmente de manière significative suite à une lésion de la moelle épinière ou à toute blessure qui réduit la mobilité des individus.

Nous pouvons identifier ce phénomène comme étant le syndrome de la désuétude. Il inclut un large éventail de maladies ou de formes variées de dégénérescence, qui sont généralement associées avec les personnes âgées. Ces dernières incluent :

- *Faiblesse musculaire et osseuse.* Le tissu des muscles perd de sa masse et de son tonus lorsqu'il n'est pas stimulé. Les os exigent les contributions énergétiques de la circulation et du stress pour conserver leur intégrité structurelle et pour maintenir les processus vivants. L'ostéoporose et la faiblesse musculaire ne sont pas des sous-produits inévitables du vieillissement.

- *Système immunitaire compromis.* L'exercice modéré amène les cellules immunitaires à circuler plus rapidement et à faire un travail plus efficace pour s'attaquer aux virus et aux bactéries. Lorsque la période d'exercice prend fin, la réaction immunitaire revient à la normale après quelques heures. L'exercice régulier, toutefois, prolonge ces bienfaits plus longtemps encore. Des études menées par le professeur David Nieman, de l'*Appalachian State University,* ont révélé qu'un programme d'exercice modéré régulier engendre un effet cumulatif qui renforce à long terme les réactions immunitaires. À titre d'exemple, les sujets dans cette étude, soumis à une marche respectant un niveau de

70-75 pour cent de leur rythme cardiaque maximum durant 40 minutes chaque jour, ont enregistré seulement la moitié des journées de maladie par rapport à ceux qui ne faisaient aucun exercice physique.

• *Rétrécissement des artères* (athérosclérose). Nos artères constituent nos lignes de vie, transportant littéralement notre sang à partir de notre cœur, pour maintenir nos organes vitaux et nos processus de vie bien alimentés et fonctionnels. L'athérosclérose est la cause majeure des mortalités et des incapacités dans le monde industrialisé d'aujourd'hui, principalement par le biais des crises cardiaques et des accidents vasculaires cérébraux. Le rétrécissement des artères est relié à un large éventail d'autres problèmes, tels que le glaucome. Une étude menée par les scientifiques grecs a fait la preuve que l'entraînement de type aérobie, incluant des exercices vigoureux, avait eu un effet significativement positif sur les patients souffrant de glaucome, en réduisant la pression interoculaire.

• *Déclin métabolique.* Notre niveau métabolique mesure la qualité de fonctionnement de notre « moteur ». Un niveau métabolique de base sur le déclin a été généralement considéré comme une conséquence attendue du vieillissement. Mais un certain nombre d'études récentes ont réussi à remettre en question ce présupposé, avec l'hypothèse selon laquelle ce déclin soi-disant associé à l'âge n'est pas observé chez les personnes qui font régulièrement de l'exercice. Une étude en particulier, menée auprès d'un groupe de femmes incluant à la fois des sujets sédentaires postménopausés, des coureuses de fond et des nageuses postménopausées, a révélé des résultats frappants. Le groupe des athlètes d'épreuves d'endurance a non seulement démontré des niveaux métaboliques plus rapides (c'est-à-dire plus jeunes), mais également une résistance notable à l'accumulation de tissu adipeux et au gain de poids.

- *Système nerveux central compromis.* Nous sommes à deux doigts de comprendre le lien mesurable qui existe entre la forme physique et la santé du système nerveux central. Un certain nombre d'études récentes révèlent toutes la corrélation entre un mode de vie actif et l'absence de maladies dégénératives associées avec le vieillissement, incluant l'Alzheimer et le Parkinson. Ce n'est pas une coïncidence si, sans exception, les centenaires en excellente santé sont remarquablement à l'abri de telles conditions débilitantes. Pour ajouter à cela, une nouvelle étude affirme que l'obésité, la complice habituelle de la désuétude (inactivité), est associée avec une « dégénérescence sévère du cerveau », qui est elle-même associée avec la perte du tissu du cerveau, avec pour résultant le vieillissement prématuré de ce dernier. Les cellules meurent et ne sont tout simplement pas remplacées à cause d'un manque de stimuli énergétiques.

- *Fragilité.* La fragilité, un terme qui résume l'ensemble des effets négatifs du vieillissement, n'a réussi que tout récemment à être reconnue comme véritable syndrome, suite principalement à des études approfondies menées sur le sujet à l'université Johns Hopkins. La fragilité affecte le corps entier, et plus particulièrement les muscles, le squelette et les systèmes nerveux et endocrinien. Elle est très largement répandue chez les adultes plus âgés et elle est la principale responsable des chutes et des fractures trop courantes auxquelles les personnes âgées se trouvent confrontées. La fragilité s'avère particulièrement pernicieuse parce qu'elle implique la perte fonctionnelle, ce qui signifie la perte des capacités assurant l'autonomie personnelle.

Nous pouvons définir la fragilité comme un état où 30 pour cent ou moins des capacités fonctionnelles d'origine ont été perdues.

La force des jambes semble être un indicateur clé de la fragilité. Le Dr Jack Guralnik, de l'Institut national sur le vieillissement (NIA) des Instituts nationaux de santé (NIH), a fait la preuve que la force des jambes, et non l'âge ou la maladie, constitue le meilleur indicateur du besoin éventuel de placement dans une maison de retraite. Les jambes s'avèrent l'élément physique du corps le plus important pour ce qui touche le vieillissement, plus encore que le cœur, les poumons et le cerveau, parce que des jambes en bonne santé peuvent améliorer la santé de tous les autres organes. Nos jambes sont notre principale source de force motrice, de loin notre plus grande source de production d'énergie. La vaste majorité des exercices d'aérobie comportent des mouvements animés par la force des jambes.

Chacun de ces facteurs est le sous-produit explicite d'une désuétude systématique à long terme. Ils sont reliés en rapport au débit d'énergie, ou plus précisément, d'un déficit de production d'énergie et d'échange au niveau des sites récepteurs de groupes de cellules spécifiques. Sans un flux continuel d'énergie au niveau cellulaire, l'efficacité de nos processus internes fondamentaux commence à se dégrader. Cette formulation du syndrome de désuétude a été anticipée par des indicateurs antérieurs de l'augmentation éventuelle de problèmes de santé reliés à l'activité, commençant avec la notion de « maladie hypokinétique » datant du début des années 1960. Le terme « syndrome de la mort par sédentarité » ou SeDS, a été élaboré au départ pour tenter d'attirer l'attention sur les quelque 300 000 décès et plus par année aux États-Unis attribuables à la désuétude à long terme.

Nous sommes inondés de données provenant d'un peu partout sur la planète et confirmant combien la désuétude est dangereuse. Alors que la population des États-Unis est sans doute la pire victime responsable de ce mal, le syndrome a maintenant atteint des proportions globales. À titre d'exemple, une étude à long terme, menée par une équipe suédoise et analysant la dépense d'énergie de 33 000 hommes, a conclu que la vie moderne entraîne pour résultat une perte énergétique pour le citoyen moyen équivalente à 45 minutes de marche rapide quotidienne.

Une expérience marquante en Australie a impliqué sept hommes, qui se sont rendus dans la brousse pour y vivre comme les premiers colons d'il y a 150 ans. Après une semaine, les sujets ont été évalués comme ayant utilisé 2,3 fois plus d'énergie au quotidien qu'ils ne l'avaient fait dans leur vie normale, ce qui équivalait au fait de marcher une distance additionnelle de 16 kilomètres chaque jour. En Angleterre, il a été déterminé qu'entre 1945 et 1995, la dépense adulte moyenne en calories a décliné de 800 calories par jour. Encore une fois, ceci correspondait à une marche de 16 kilomètres par jour. Fait intéressant, on a estimé que les actuels chasseurs-cueilleurs, tels que les Bochimans de Kalahari, se déplaçaient sur une distance de 18,5 kilomètres par jour en moyenne.

À Hong Kong, une étude menée par une équipe de recherche de l'université de Hong Kong et du Département de la santé, a examiné le niveau d'activité physique chez les gens qui étaient décédés. Les chercheurs ont été en mesure d'établir une corrélation entre leur niveau d'activité et leur risque de décéder. Les résultats ont indiqué que 20 pour cent de tous les décès d'individus de 35 ans ou plus pouvaient être attribués au manque d'activité physique. Ce pourcentage est plus élevé que le nombre de décès reliés à l'usage du tabac. L'étude a également démontré que le risque de décéder du cancer augmentait de 45 pour cent chez les hommes, et de 28 pour cent chez les femmes, en conséquence de l'inactivité. Le risque de mourir d'une affection respiratoire quelconque était de 92 pour cent plus élevé chez les hommes, et de 75 pour cent plus élevé chez les femmes. Le risque de décéder d'une maladie de cœur était de 52 pour cent plus élevé chez les hommes, et de 28 pour cent chez les femmes, tout cela étant dû au manque d'activité physique.

Encore une fois, ceci correspondait à une marche de 16 kilomètres par jour. Fait intéressant, on a estimé que les actuels chasseurs-cueilleurs, tels que les Bochimans de Kalahari, se déplaçaient sur une distance de 18,5 kilomètres par jour en moyenne.

À l'échelle mondiale, l'inactivité physique se présente maintenant comme un des enjeux de santé majeurs dans le monde moderne. On estime qu'elle est la cause première de 1,9 millions de morts prématurées, annuellement. Globalement, l'inactivité physique est identifiée comme étant le facteur causal de 10 à 16 pour cent des cancers du sein, des cancers du côlon et du diabète, et d'environ 22 pour cent des cardiopathies ischémiques.

Il existe une surabondance de statistiques des plus troublantes, démontrant les effets funestes de la désuétude, à tous les niveaux de la vie moderne. Il n'y a tout simplement aucune donnée ou aucun fait démontrant la désirabilité d'un style de vie axé sur l'inactivité physique. Toutefois, au bout d'un moment, toute information qui devrait nous réveiller et nous stimuler à passer à l'action sur le plan personnel et politique finit éventuellement par nous engourdir. Il y a trop d'information à assimiler et les enjeux sont trop bouleversants.

Globalement, l'inactivité physique est identifiée comme était le facteur causal de 10 à 16 pour cent des cancers du sein, des cancers du côlon et du diabète, et d'environ 22 pour cent des cardiopathies ischémiques.

Tous les appareils conçus pour nous épargner temps et effort et tous les gadgets de la vie moderne nous viennent avec un prix en calories qui leur est attaché. Le tableau de la page 50 illustre le calcul effectué dans une étude touchant les différences de dépense calorifique associée à une variété de tâches quotidiennes ordinaires.

L'impact cumulatif des machines a été estimé à 111 calories par jour, ou l'équivalent d'une marche de 45 minutes.

Une liste partielle des maladies ou conditions pouvant être causées ou envenimées par l'inactivité chronique incluent :

Anévrisme	Diabète
Angine	Hémorroïdes
Athérosclérose	Hypertension
Douleur au dos	Calculs rénaux
Maladies cardiovasculaires	Arthrose
Cancer colorectal	Ostéoporose
Maladie coronarienne	Diabète de type 2

Nous n'insisterons jamais assez sur le rôle central joué par l'activité physique dans la régulation de l'équilibre énergétique total de l'organisme, ainsi que sur les risques de devenir obèse ou diabétique, particulièrement à la lumière de l'épidémie de l'inactivité mentionnée précédemment. Nous bougeons de moins en moins et il nous faut utiliser notre énergie, sinon nous la perdrons ; c'est là une recommandation qui ne saurait être plus judicieuse par les temps qui courent.

Tableau 2.1

Activité	Dépense énergétique, manuelle	Dépense énergétique, machine
Laver la vaisselle	45	27
Faire la lessive	80	54
Monter à l'étage	11 (escalier)	3 (ascenseur)
Se rendre au boulot	83 (marcher)	25 (rouler en voiture)

L'ÂGE MOLÉCULAIRE ET L'ÂGE CHRONOLOGIQUE

Le *King's College* de Londres possède la plus grande base de données sur les jumeaux au monde et provenant d'une panoplie d'études. Les travaux sur les jumeaux sont particulièrement utiles en recherche parce que les différences observées entre les paires de jumeaux peuvent indiquer de manière concluante certaines causes qui pourraient autrement être ambiguës ou s'avérer difficile à départager. Le fait d'avoir un ADN commun mis en relief face à des différences significatives peut permettre de déterminer sans équivoque certaines causes non génétiques.

Une équipe de recherche du *King's College* a voulu identifier les preuves du vieillissement au niveau moléculaire en examinant les télomères au sein d'un grand groupe de jumeaux. Les télomères, comme nous l'avons expliqué au chapitre précédent, servent de capuchon protecteur à l'extrémité de nos chromosomes, pour les protéger contre d'éventuels dommages. À mesure que nous avançons en âge, nos télomères raccourcissent avec chaque division de cellule, laissant ces dernières plus vulnérables aux maladies.

La population cible de l'étude était composée de jumeaux identiques et de faux jumeaux. Le fait de comparer la longueur des télomères de jumeaux ayant grandi ensemble mais qui ont fait l'expérience de niveaux différents d'exercice physique, a mis en évidence les effets des variations environnementales par rapport à un ensemble commun de gènes, et procure ainsi une mesure plus pertinente du syndrome de la désuétude par hypothèse. En moyenne, les télomères des jumeaux plus actifs étaient significativement plus longs que ceux des jumeaux moins actifs. Les effets de l'activité en tant que cause d'une longévité accrue surpassaient nettement la contribution génétique. Ainsi, ce qui est acquis a préséance sur ce qui est inné.

L'étude a mis en relief un résultat encore plus alarmant. Un mode de vie sédentaire peut diminuer l'espérance de vie, non seulement en prédisposant les individus aux maladies reliées à l'âge, mais en accélérant le processus du vieillissement de surcroît. Les chercheurs ont découvert que la longueur des télomères diminuait de manière constante avec l'âge, tel que prévu. Mais il y avait également un lien déterminant entre l'augmentation de l'activité physique et la longueur des télomères, même après avoir considéré d'autres influences mesurables, telles que le poids corporel, l'usage du tabac et le statut socioéconomique. Cela signifie que l'inverse est également vrai : l'inac-

À l'Université de Caroline du Nord, un projet de recherche d'envergure a pour objectif de trouver le moyen de déterminer quel est notre âge « moléculaire » réel par rapport à notre âge chronologique.

tivité ou la désuétude est le chemin le plus sûr vers des télomères plus courts. Dans un tel cas, la corrélation entre le niveau d'activité et le raccourcissement des télomères s'avère considérable. La différence dans la longueur des télomères entre les sujets les plus actifs et les sujets inactifs correspond à environ *neuf années de vieillissement.*

À l'université de la Caroline du Nord, il a été mis en évidence dans une étude citée dans la revue *Aging Cell,* qu'à mesure que le tissu corporel prend de l'âge, les concentrations d'une certaine protéine (appelée $p161NK_4a$ dans le code utilisé par les microbiologistes) ont tendance à augmenter considérablement. La protéine est présente dans les cellules-T du système immunitaire, lesquelles jouent un rôle déterminant dans la lutte contre les maladies et la réparation des dommages causés aux tissus. Les chercheurs ont découvert que non seulement cette protéine constitue un marqueur biologique pour le vieillissement des cellules, mais sa présence est en corrélation directe avec l'inactivité physique. Dans le but de trouver un test sanguin simple pour détecter les niveaux de la protéine, les sujets à l'étude ont été interrogés en profondeur, ce qui a permis de révéler que le niveau d'activité physique semble être le facteur le plus déterminant pour ce qui touche le style de vie comme moyen de ralentir le vieillissement cellulaire, dépassant tous les autres facteurs, incluant l'obésité et l'usage du tabac.

Une étude menée à l'université Berkeley, en Californie, a cherché à identifier les parcours biochimiques cruciaux liés au vieillissement des tissus musculaires humains. Des études antérieures sur les animaux ont révélé que la capacité des cellules souches de réparer et remplacer les tissus endommagés est régie par les signaux moléculaires qu'elles reçoivent du tissu musculaire environnant, et que ces signaux ont tendance à changer, avec l'âge, d'une manière qui inhibe le processus de réparation des tissus. Ces études ont également démontré que les vieilles cellules souches régénératrices peuvent être ravivées au moyen de signaux biochimiques appropriés. Ce qui n'était pas clair jusqu'à cette nouvelle étude était de savoir si des règles similaires pouvaient s'appliquer à l'homme. Contrairement aux êtres humains, les animaux de laboratoire peuvent être élevés de manière à posséder des gènes identiques et dans des environnements similaires. De plus, la durée de vie typique des êtres humains peut couvrir sept à huit décennies, tandis que les rats de laboratoire atteignent la fin de leur existence après deux ans seulement.

Au cours d'expériences menées auprès de deux groupes de sujets, le premier étant composé d'hommes au début de la vingtaine, et l'autre composé d'hommes à la fin de la soixantaine et au début de la septantaine, des biopsies de muscle ont été effectuées sur les quadriceps de tous les sujets au début de l'étude. Les hommes ont alors eu la jambe, dont un échantillon de tissu musculaire avait été pris, immobilisée dans un plâtre durant deux semaines, pour simuler l'atrophie musculaire. Après que le plâtre ait été retiré, les participants à l'étude ont été soumis à un programme d'exercices avec des haltères pour retrouver la masse musculaire dans leur jambe redevenue libre de mouvement. Des analyses du tissu musculaire ont révélé que les muscles plus âgés, qui avaient eu une période de désuétude beaucoup plus longue, avaient réagi beaucoup plus lentement. L'étude a permis de déduire que de très longues périodes de désuétude peuvent dégrader l'environnement régénératif des cellules. Cela nous amène à conclure que la régénération des tissus musculaires humains de « vieux » muscles est significativement rehaussée par une préoccupation constante de garder la forme. L'importance de se servir de ses muscles, au risque de les perdre, s'avère un impératif, jusqu'au niveau cellulaire.

Nombre de grandes études observationnelles sont dirigées vers les axes inactivité / obésité / diabète / mortalité. Un suivi sur huit ans auprès de 70 000 infirmières, a mis en lumière 1 400 nouveaux cas de diabète. Les infirmières les moins en forme physique ont vu leur risque de diabète doubler par rapport à celles qui étaient en forme. L'étude *Physicians Health Study,* touchant plus de 20 000 médecins, a révélé une incidence sur 5 ans de nouveaux cas de diabète, encore une fois avec un facteur de protection de 50 pour cent lié à la bonne forme physique. Une étude du *Cooper Aerobic Center* a démontré que les hommes en mauvaise forme physique avaient quatre fois plus de chances de devenir diabétiques que ceux qui étaient en forme. Une enquête d'envergure, menée auprès de 35 000 femmes de l'État du Minnesota, a révélé que n'*importe quel* niveau d'activité physique diminuait l'incidence de nouveaux cas de diabète de 30 pour cent. Une autre étude, menée à Malmö, en Suède cette fois, a passé en revue l'historique de vie d'un groupe d'individus qui avaient manifesté des signes précoces annonciateurs de diabète – tels qu'un niveau de glycémie élevé – et il a été révélé que l'exercice physique abaissait le taux de mortalité à celui des personnes qui n'étaient pas prédiabétiques. L'exercice physique a effectivement « guéri » le prédiabète, au moins pour ce qui touche le taux de mortalité. Pour préciser, ceux qui ont eu recours à l'exercice physique comme moyen d'intervention ne sont pas morts des suites éventuelles d'un diabète.

Le spécialiste en génétique, Mae-Wan Ho, directeur de l'*Institute of Science in Society,* résume les conséquences funestes de l'inactivité en des termes très précis :

L'inactivité prive nos tissus et nos cellules de l'oxygène dont ils ont besoin, et par conséquent, de l'énergie nécessaire à un fonctionnement métabolique adéquat. Elle favorise également une accumulation de différents types d'oxygène réactif qui provoquent des dommages oxydatifs aux cellules, incluant l'ADN, lesquels inhibent davantage les activités anaboliques (constructives), quand ils n'encouragent pas carrément les tendances cataboliques (destructrices). Dans un contexte plus large, l'inactivité conduit à une perte de cohérence (quantum) et de l'équilibre dans le «champ énergétique», ce dont je ne voudrais en aucun cas minimiser l'importance.

L'inactivité – ou la désuétude – est clairement un fléau de notre époque et de notre culture, en plus d'être la cause principale de nombre d'enjeux problématiques touchant la santé. La corrélation entre l'activité physique et le prolongement de la vie est incontestable. L'«activité physique» est un terme dont le sens peut s'avérer très large, et bien que toute forme raisonnable d'activité physique soit bénéfique, il nous faut examiner plus en profondeur quels sont les mécanismes internes qui nous aident à demeurer en vie et en santé, pour mieux comprendre toute l'étendue potentielle d'une vie qui se veut la plus saine et longue possible.

CHAPITRE 3

LES FONDEMENTS DU
VIEILLISSEMENT RÉUSSI

UN CONSEIL QUI NOUS EST DONNÉ PAR L'ORACLE

Les êtres humains constituent le chef-d'œuvre de l'évolution, la forme de vie ayant le mieux réussi à s'adapter entre toutes. Et pourtant, il y a de fortes chances que seule une poignée d'entre nous arrive à mesurer pleinement – et à apprécier vraiment – à quel point nous sommes remarquables.

S'il existait une règle de base entourant la longévité, elle se résumerait sans doute au commandement : « Connais-toi toi-même », qui nous a été transmis dans l'oracle de Delphes, il y a environ 3 000 ans. Notre corps nous communique continuellement des signaux au sujet de notre fonctionnement interne. Notre système nerveux central constitue un réseau d'une ingéniosité fort complexe qui nous procure une vaste gamme d'informations sur notre bien-être et sur les différents éléments qui le menacent. C'est tellement le cas que c'est un véritable défi pour la plupart d'entre nous d'en suivre le rythme et le processus.

Les athlètes de haut calibre ont tendance à être extrêmement conscients des changements qui s'opèrent dans leur organisme. Ils ont tendance à s'alarmer dès qu'une légère variation se produit, laquelle passerait complètement inaperçue à la majorité d'entre nous. Nous avons, pour la plupart, appris à ne pas porter attention à de tels signaux, à moins qu'ils ne soient très évidents. Nous tenons ce qui se passe à l'intérieur pour acquis, inconscients de la plupart de nos signaux internes, excepté ceux qui concernent la fatigue, la douleur aiguë et la faim. Mais la douleur et l'inconfort peuvent se manifester à de nombreux niveaux et à différents degrés. Dans la mesure où nous sommes conscients de leur présence, cela implique que notre seuil de reconnaissance est alors plutôt élevé. Mais les signaux précoces passent souvent inaperçus, et nous ne nous rendons pas compte que les choses ne vont pas bien jusqu'à ce qu'elles finissent par être totalement déjantées.

Notre corps est une machine incroyablement complexe possédant quelque chose dans l'ordre de centaines de billions de cellules, chacune d'elles interagissant avec d'autres cellules individuelles et des ensembles fonctionnels. Et pourtant, nous parvenons à faire l'expérience de l'homéostasie : c'est la capacité d'un organisme de maintenir son équilibre en ajustant ses processus internes. Notre capacité à maintenir une température constante de 37° est un exemple simple d'homéostasie.

Nous avons comparé le corps humain à une voiture au premier chapitre pour souligner l'importance de l'entretien. Pour pousser l'analogie un peu plus loin, si nous conduisons une guimbarde bon marché, nous risquons fort de ne pas prêter trop attention aux bruits suspects provenant d'un moteur mal entretenu, d'une transmission qui glisse, d'un châssis qui grince ou d'un joint desserré. Mais si nous roulons dans une voiture sport de haute performance, nous avons bien des chances de porter attention à toute fausse note provenant de l'orchestre de sa mécanique, à toute déviation infime de ses harmonies naturelles parfaites.

Nous sommes tous confrontés à un choix similaire face à notre *corpus,* notre condition physique. Allons-nous être cette guimbarde qui, nous l'espérons, nous mènera là où nous souhaitons aller, jour après jour, ou cette machine de haute performance qui exige sans doute un entretien méticuleux, mais qui nous mènera bien plus loin, tout en nous procurant les plus hauts niveaux de plaisir et de satisfaction ?

LES PROCESSUS DE LA VIE

La voiture sport de haute performance que nous désirons comme modèle de fonctionnement physiologique possède des composantes opérant dans la plus parfaite cohésion. La guimbarde dont nous avons parlé, en contrepartie, roule en cahotant, son système d'allumage et son système d'échappement étant mal assortis, ses roues mal ajustées, ses pneus mal alignés. Chaque dégradation d'un élément entraîne des compromis dans d'autres parties du système. Il en va de même avec notre corps, bien que ce dernier s'avère énormément plus complexe, plus finement ouvragé. L'analogie souligne toutefois la nécessité de nous percevoir comme un système intégré et pas seulement comme un ensemble de fonctions individuelles, telles que la respiration, la digestion, la circulation, et ainsi de suite.

Nous avons utilisé plus haut le terme «homéostasie» dans le contexte de notre capacité de maintenir l'équilibre fondamental nécessaire pour soutenir notre fonctionnement interne d'une manière sécuritaire et stable. «Stasis» est le terme limitatif ici, soulignant des processus qui opèrent en fonction d'un objectif

statique ou fixé. Notre environnement interne constitue le fondement des processus homéostatiques qui gèrent la température, le
niveau d'acidité, la composition ionique et une panoplie d'autres
mesures biochimiques.

Mais, bien sûr, nous changeons avec le temps. Nous avançons en âge. Nous déclinons. Ou peut-être nous soumettons-nous
à un programme d'exercices de manière à garder la forme et à
augmenter nos capacités physiques ? Ces changements sont le
résultat de processus à l'échelle de notre système entier, auxquels
nous ferons référence en tant qu'homéodynamiques – c'est-à-
dire les processus qui régulent dynamiquement l'ensemble des
changements qui s'opèrent dans notre organisme, en réaction à
des apports énergétiques spécifiques que nous nous imposons.

Notre ligne de vie n'est pas purement homéostatique. Elle
débute à notre conception et s'arrête à notre mort. Nous venons
au monde, nous nous développons, nous prenons de la maturité
et nous vieillissons. Nos mécanismes homéostatiques ne demeurent pas toujours constants durant notre parcours de vie, mais ils
évoluent avec le temps. En tant qu'organisme, nous sommes des
joueurs actifs dans l'élaboration de notre propre destinée, et pas
seulement des victimes passives des caprices de la nature, des
dieux, ou même de la sélection naturelle. Ainsi, pour mieux comprendre notre ligne de vie, nous avons besoin de devenir très
attentifs à ce que notre corps est en train de nous communiquer ; il
nous faut réfléchir d'une manière qui dépasse le cadre homéostatique, pour concentrer notre attention sur le concept beaucoup plus
robuste et riche d'homéodynamiques. Alors que l'homéostasie est
en partie ce qui nous définit en tant qu'espèce, l'homéodynamique
est ce qui rend chacun de nous unique, tandis que notre organisme maintient notre individualité biochimique en se soumettant
continuellement à des processus physiologiques et métaboliques. L'homéodynamique est la modification continuelle de

l'interrelation des différents éléments de notre corps, tandis qu'un équilibre général est conservé.

Un exemple simple du principe d'homéodynamique peut être vu comme une conséquence de la manière dont notre rythme cardiaque maximal décroît de façon linéaire avec l'âge, un des résultats naturels du vieillissement. Mais parce que nous avons besoin du même apport fondamental en flux sanguin pour combler les besoins de notre organisme, notre cœur augmente alors la quantité de sang qu'il pompe à chaque battement, compensant ainsi pour le déclin du rythme maximum.

Associé aux homéodynamiques, j'aimerais introduire un autre terme plutôt complexe pour nous aider à comprendre nos processus métaboliques, ainsi que la relation qu'ils ont avec notre ligne de vie : la *symmorphose*. Ce phénomène est le processus par lequel nous subissons divers changements spécifiques en conséquence de l'environnement énergétique dont nous choisissons de nous entourer. La symmorphose est le concept unificateur qui sous-tend notre physiologie, opérant beaucoup à la manière d'un protocole d'ingénierie qui détermine comment chacun des éléments de l'ensemble devrait travailler en parallèle avec les autres. Antécédente au concept fondamental qui veut que « la forme détermine la fonction », se trouve la loi générale qui veut que la forme détermine la fonction, *en étant sujette aux limites de l'environnement énergétique total.* Les ensembles de gènes, à travers les processus homéodynamiques, obéissent à des principes énergétiques déterministes. L'organisme entier fonctionne au mieux lorsque le métabolisme et les gènes opèrent de manière intégrée et harmonique. Voilà, donc, ce qu'est la santé, l'état émergent de l'organisme tout entier, lorsque toutes ses parties sont alignées de manière optimale pour remplir leurs fonctions spécifiques, lorsque tous les systèmes fonctionnent comme ils le devraient.

Ceci nous amène au concept central de plasticité phénotypique. Nous parlons ici de génotype et de phénotype comme étant le yin et le yang de nos descripteurs uniques. Le terme génotype réfère à l'information génétique qui est inscrite sur notre code personnel. Le terme phénotype réfère à nos propriétés observables, à ce que nous devenons avec le temps. Le génotype correspond à ce qui est inné ; le phénotype correspond à ce qui est acquis. À strictement parler, la plasticité phénotypique est la production de multiples phénotypes à partir d'un seul génotype. Ce que cela signifie pour nous est l'effet que l'environnement exerce sur l'expression de notre potentiel génétique.

La plasticité est le facteur le plus crucial dans la santé et la longévité. C'est l'expression vivante et physique des choix de vie que nous faisons. C'est l'outil le plus puissant que la nature ait mis à notre disposition, la capacité de nous façonner nous-même et d'avoir la maîtrise de notre bien-être corporel et de notre destinée physique. Nous avons la capacité, au moyen d'actions de notre choix, d'augmenter notre masse musculaire et notre force physique, d'améliorer nos capacités d'assimilation de l'oxygène, de littéralement améliorer la fonctionnalité de nos cellules, incluant celles de notre cerveau.

Nous avons la capacité, au moyen d'actions de notre choix, d'augmenter notre masse musculaire et notre force physique, d'améliorer nos capacités d'assimilation de l'oxygène, de littéralement améliorer la fonctionnalité de nos cellules, incluant celles de notre cerveau.

Le terme de plasticité phénotypique ne fait pas encore pleinement partie du vocabulaire médical, mais il est destiné à jouer un rôle clé dans notre compréhension future des systèmes vivants. Ce principe opère partout tout autour de nous, bien que nous en soyons rarement conscients. Il est facilement observable chez les végétaux, parce qu'ils occupent une position fixe tandis qu'ils grandissent et se transforment en fonction de l'interaction de leurs caractéristiques génétiques et des contributions de leur environnement. Nous grimpons au sommet d'une montagne et observons les arbres d'une même espèce, ayant un génotype commun, se transformer dans leur structure et leur apparence à mesure que nous montons, ce qui signifie que nous observons l'effet sur les arbres des conditions changeantes d'ensoleillement, du temps saisonnier alloué à leur croissance, du type de sol, des conditions climatiques et des espèces végétales concurrentes.

La puissance restauratrice et régénératrice de notre plasticité intrinsèque constitue ce que l'évolution nous a légué de plus généreux et utile. Elle nous a donné un niveau remarquable de maîtrise de notre bien-être physique. À la différence des végétaux, qui doivent faire du mieux qu'ils peuvent, là où ils ont eu la bonne ou la mauvaise fortune de prendre racine, et qui n'ont aucune possibilité d'apporter des changements à leur environnement, nous avons à notre disposition une panoplie de choix touchant notre mode de vie et notre environnement personnel. Considérant que si peu de choses dans la vie se trouvent sous notre contrôle, il est stupéfiant de constater que ce fait soit si peu apprécié, au bout du compte. En biologie, ce phénomène est appelé «construction d'une niche» et il reflète notre capacité de façonner notre destinée physique. Notre adaptabilité, notre plasticité allègent, en effet, le fardeau qu'ont nos gènes de nous définir. Nous devenons ce que nous faisons.

De l'homéostasie aux homéodynamiques, à la symmorphose et à la plasticité phénotypique, cette série de termes relativement intimidants s'inscrit à la rubrique générale de la biologie des systèmes et fait partie de la nouvelle science de l'*émergence*. Les progrès de la science – de même que de la santé et de la médecine – ont historiquement été réalisés selon un schéma d'analyse réductive. Le réductionnisme cherche à expliquer des phénomènes complexes en utilisant des éléments plus simples, creusant de plus en plus en profondeur pour faire ressortir les menus détails. Cette discipline intellectuelle s'est avérée remarquablement efficace jusqu'ici, nous permettant de mieux comprendre la structure élémentaire de l'univers, ainsi que les agents microscopiques derrière les maladies infectieuses, parmi d'autres choses.

LE CARACTÈRE TROMPEUR DU RÉDUCTIONNISME – IL N'Y A PAS DE SOLUTIONS MAGIQUES

Cependant, le réductionnisme nous a conduit dans des voies sans issue dans bien des domaines et particulièrement dans celui de la santé. Nous sommes accablés par l'attente de solutions magiques, en croyant que la maladie (et le vieillissement) est causée par des facteurs isolés spécifiques et que ce problème pourra être solutionné facilement par des mesures simplistes. Nous attendons de la technologie qu'elle nous fournisse la potion, la pilule ou la procédure chirurgicale « anti-vieillissement ». En fait, des scientifiques de renom n'ont cessé de prédire dans les médias l'apparition de telles avancées technologiques. Mais aucune réelle percée de ce type ne s'est jamais concrétisée.

Le futuriste, Ray Kurzweil, a prédit, dans *Fantastic Voyage: The Science Behind Radical Life Extension,* un ouvrage spéculant sur nos possibilités de vivre indéfiniment, qu'« avant que l'encre ait séché » dans son livre, au moins une de ses prédictions allait s'être concrétisée. Aucune ne l'a fait. Cinq ans plus tard, son plus récent ouvrage nous recommande de tenir bon encore un autre 20 ans ou plus, avant l'émergence d'avancées technologiques telles que la reprogrammation de l'ADN ou les robots permettant de réparer les cellules au niveau submicroscopique (nanotechnologie). Un problème central avec toutes ces solutions proposées pour prolonger la durée de la vie est qu'elles semblent se concentrer sur une cible unique, alors que le vieillissement est un phénomène complexe touchant l'ensemble du système physiologique. Cela confirme l'importance d'opter pour une approche systémique. Nous pouvons, en fait, déjà utiliser la nanotechnologie pour certaines réparations effectuées au niveau cellulaire. Et nous réalisons déjà des avancées spectaculaires dans l'ingénierie génétique. Mais personne n'a réussi à date à ralentir (et encore moins à stopper) le processus du vieillissement. Il n'existe aucun centenaire sur la planète qui puisse actuellement associer sa longévité à un médicament quelconque, à une pilule, ou à une nouvelle technologie offerte par la profession médicale.

La possibilité qu'il y ait un jour une pilule anti-vieillissement équivaut au proverbe qu'on a rien pour rien dans la vie. Même si la technologie médicale réussissait à découvrir une substance ingérable qui pourrait inhiber le vieillissement, nous n'aurions aucune idée des conséquences éventuelles non désirées d'une telle substance au niveau cellulaire. Ni quels pourraient être les autres processus biochimiques fondamentaux qui s'en trouveraient affectés. En médecine, tout cela est à ranger dans la catégorie trompeusement bénigne d'« effets secondaires ».

La thérapie génétique constitue un exemple instructif. Dans ce qui est considéré comme la première utilisation réussie de la thérapie génétique, un programme de traitement de patients souffrant du syndrome d'immunodéficience combinée sévère (SCID) a été lancé en 1990. Moins de dix ans plus tard, certains des patients ont commencé à mourir. Certains d'entre eux ont succombé à la leucémie et il a été éventuellement déterminé que la thérapie interférait avec un gène pouvant provoquer le cancer.

Mais que penser des nouveaux traitements prometteurs qui ne cessent de voir le jour et de faire les manchettes des médias, avez-vous peut-être envie de me demander ? De très grosses sommes d'argent sont investies dans la création et la mise en marché de produits qui affirment ralentir ou stopper le rétrécissement des télomères, ces capuchons aux extrémités de nos brins d'ADN. Pourtant, après des années d'investissements, sans parler des campagnes publicitaires vantant les mérites de tel ou tel produit, il n'existe toujours pas à ce jour d'étude concluante qui confirme la viabilité d'une telle méthode.

Et qu'en est-il des nombreux traitements qui permettent de prolonger la durée de vie d'à peu près tout, incluant les levures, nématodes et rats de laboratoire ? Qu'en est-il de la substance « miracle » provenant des raisins rouges, le resvératrol ? En dépit de l'accueil enthousiaste généralisé dont il fut l'objet, de ses nombreux distributeurs sur Internet et du passage à l'émission *60 Minutes* de son plus ardent défenseur, le resvératrol n'a pas encore réussi à faire la preuve qu'il pouvait avoir un quelconque effet bénéfique à long terme sur les humains.

Les expériences faites sur les levures, le plathelminthe et les petits mammifères constituent toutes des premiers pas nécessaires, il va sans dire. En fait, les traitements de longévité sont testés sur des sujets comme ceux-là précisément parce qu'ils ont une durée de vie très courte. La mouche des fruits, *drosophila,* a un cycle de vie qui dure environ deux semaines. Un traitement promettant une extension de durée de vie de 50 pour cent a pu être observé durant une courte période de trois semaines. Les méthodes habituelles utilisées pour les tests auprès des humains sont à l'évidence soumises à la contrainte des longues périodes d'observation requises. Bien qu'il soit encourageant de constater des prolongements de vie impressionnants chez les sujets appartenant au règne animal, le fait demeure que les animaux dans leur ensemble jouissent de processus métaboliques très différents des nôtres et il est clair que nous ne pouvons pas conclure tout simplement que les résultats des expériences menées peuvent s'appliquer d'emblée aux humains.

Il n'existe pas de substance, ni traitement, ni thérapie, ni procédure disponibles sur le marché aujourd'hui, qui puissent être démontrés comme pouvant prolonger la vie ou nous protéger des nombreux ravages provoqués par le vieillissement. Cet état de fait est remarquable, considérant le grand nombre de produits qui sont mis en marché sur la base de telles promesses. Cela ne demande aucun effort de réflexion de comprendre que si un de ces produits s'avérait clairement efficace, la nouvelle se répandrait alors comme une traînée de poudre. Des histoires réelles de réussite feraient les manchettes et le nom de ce produit se retrouverait sur toutes les lèvres dans les différents foyers. Ce n'est pas une coïncidence si la plupart de ces produits promettant un rajeunissement rapide, affichent une mise en garde en petits caractères sur leur emballage, informant le consommateur que le produit a de meilleurs résultats lorsqu'il est utilisé en conjonction avec une bonne alimentation et un programme régulier d'exercice !

Les limites du réductionnisme, de même que l'échec continuel dans nos efforts de trouver des solutions simples qui assurent le prolongement de la vie nous conduisent à cheminer lentement vers une approche systémique d'ensemble. L'insistance croissante qui est mise sur la biologie des systèmes est un pas important qui est fait dans la direction qui est à l'opposé du réductionnisme. L'approche systémique culmine dans le concept d'*émergence*, et par voie de conséquence, cela nous amène à percevoir la santé comme une propriété émergente. Un système révèle de nouvelles caractéristiques qui ne pouvaient être détectées dans aucun des éléments de ce système. En utilisant ce critère, cela nous permet de constater que la maladie est une perturbation d'une ou plusieurs composantes de ce système, empêchant ainsi l'expression de l'une des propriétés émergentes du système.

Nous pouvons résumer la chose de la manière suivante : aucune partie de nous ne constitue un élément isolé – aucune cellule, aucun gène, aucun organe ne se suffit à lui-même. La santé est la propriété de l'ensemble de notre système, qui est la synthèse de tous ses éléments et processus réunis. Notre génotype contient les frontières de notre potentiel ; mais l'expression de notre phénotype est ce qui nous donne la capacité de vivre notre plein potentiel. Notre santé repose avant tout sur un choix et non sur le destin.

Par conséquent, le sentier qui mène à devenir un centenaire en bonne santé est une matrice de variables fondamentales qu'il nous est désormais possible d'identifier.

COURIR POUR RESTER EN VIE

Nous semblons reconnaître d'emblée que courir est quelque chose de « bon pour nous ». Cela est connu depuis longtemps que la course à pied procure des bienfaits cardiovasculaires immédiats. Mais qu'en est-il du rôle d'ensemble de la course en tant que médiateur d'une santé totale ? Et quel effet mesurable un programme suivi de course à pied peut-il avoir sur la longévité ?

Au Centre médical de l'université Stanford, au début de 1984, près de 500 coureurs âgés ont été suivis sur une période de plus de 20 ans, et leur niveau de santé ainsi que leur forme physique ont été mesurés en les comparant à un groupe similaire de non-coureurs. L'âge moyen des sujets au début de l'étude était de 59 ans. En 1984, la sagesse conventionnelle voulait que tout exercice vigoureux ait toutes les chances d'être nocif aux personnes âgées et que les effets affaiblissants du vieillissement risquent de rendre ces dernières vulnérables aux blessures et aux pannes.

Dans le moins grave des cas, pensait-on, il y aurait des blessures orthopédiques, particulièrement aux genoux, aux chevilles et aux hanches.

Les chercheurs ont émis l'hypothèse selon laquelle l'exercice régulier à haut débit énergétique (autrement dit, des séances d'entraînement intense) avait tendance à améliorer et à augmenter la qualité de vie, tout en aidant la personne qui se prête à cet exercice à éviter les risques d'incapacité. À cette époque, la longévité n'était pas vraiment un enjeu ; les chercheurs ont plutôt mis l'accent sur l'idée de minimiser la période vers la fin de la vie où les personnes commencent à perdre leur autonomie personnelle. Cette idée a fini par être connue comme la théorie de la « compression de la morbidité ».

Cela ne fut pas surprenant de constater que le groupe de coureurs a vécu plus longtemps et en santé, avec significativement moins de maladies et de handicaps communs. Ce à quoi on ne s'attendait pas est que le groupe de coureurs a été estimé avoir seulement la moitié des chances de mourir de maladies graves, incluant le cancer, les maladies neurologiques et les infections, que le groupe de non-coureurs.

Au début de la période de l'étude, les participants couraient, en moyenne, près de quatre heures par semaine. Vingt et un ans plus tard, la moyenne avait baissé à 78 minutes par semaine, mais cela représente quand même à peu près 25 minutes chaque deux jours, un point de référence raisonnable pour la plupart des gens, mais remarquable, considérant le fait que l'âge moyen du groupe était maintenant de 78 ans.

Vers la fin de l'étude, les participants avaient atteint entre 70 et plus de 80 ans, et seulement 15 pour cent des coureurs étaient décédés, comparé à 34 pour cent des non-coureurs. Pour les coureurs qui ont été atteints de handicaps durant la période de l'étude, ces handicaps ne les ont affectés que 16 ans plus tard, en moyenne, qu'ils ne l'ont fait pour les non-coureurs, une découverte plutôt surprenante. Le directeur de l'étude, le professeur émérite de médecine, James Fries, note : «L'étude communique un message très proexercice. S'il fallait choisir quelque chose qui rende les gens plus en santé, à mesure qu'ils vieillissent, ce serait sans contredit l'exercice d'aérobie. Les bienfaits de l'exercice pour la santé sont plus grands que nous le pensions.»

Fait intéressant, l'analyse biomécanique du pied humain, à l'université de Calgary, a fait la preuve que la forme de nos orteils indique combien nous avons réussi à évoluer pour devenir des coureurs naturels. Des orteils plus courts et trapus, contrairement aux longs orteils préhensiles de nos cousins primates, sont largement mieux adaptés pour la course, tout spécialement sur de longues distances. La plupart des animaux qui courent ont également des orteils très courts. Certaines espèces telles que les chats et les chiens ont des pattes presque entièrement composées de palmes.

Peu d'autres animaux sont capables de courir de longues distances et aucun n'arrive à le faire sous un soleil brûlant. Les loups, par exemple, ont besoin de températures froides ou attendent la nuit tombée pour chasser sur de longues distances, sinon ils surchauffent. La course d'endurance est peut-être l'élément qui a permis aux êtres humains primitifs de se distinguer du reste du règne animal.

Selon l'étude de l'université de Calgary, nombre de nos caractéristiques anatomiques semblent particulièrement adaptées pour courir toute la journée dans la savane. Les tendons d'Achille agissent comme des ressorts pour emmagasiner l'énergie. Nos jambes ont des articulations inhabituellement grandes. Les muscles de nos fesses maintiennent l'équilibre et la stabilisation. Et certaines régions de notre cerveau semblent particulièrement sensibles à l'adaptation physique engendrée par le mouvement de courir. Nous sommes probablement les meilleurs coureurs de longue distance au monde parmi les mammifères, bien que d'un autre côté, nous soyons de très mauvais sprinters, limités comme nous le sommes par les mécaniques de la structure de notre pied et de nos orteils.

TOUT CE QUE VOUS DEVEZ SAVOIR SUR LA COURSE À PIED

La technique est simple : il suffit de mettre un pied devant l'autre. Il n'y a pas grand-chose à ajouter. Nous courons depuis que nous avons appris à marcher en position debout, comme des hominidés. Ne vous inquiétez pas de la technique.

Équipement ? N'importe quel soulier de course fera l'affaire. Franchement, les différences entre marques de commerce ne risquent pas de compter vraiment pour un coureur novice. En fait, de récentes études suggèrent que la technologie sophistiquée entourant les souliers de course est potentiellement une exagération nuisible. Ces études ont émis l'hypothèse selon laquelle trop de matelassage crée une relation non naturelle entre le pied et le sol, menant à une variété de blessures potentielles avec le temps.

Vous avez des gerçures lorsque les intérieurs de vos cuisses se frottent ensemble durant la course ? Utilisez un peu de vaseline sur vos jambes. Si vous avez facilement des cloques aux pieds, un peu de vaseline sur le pied peut aider à prévenir la friction génératrice d'ampoules.

Le temps est frais ou froid ? Enfiler plusieurs couches est la clé. Commencez avec un coupe-vent que vous pourrez nouer autour de votre taille, une fois réchauffé. C'est aussi simple que cela.

Une bonne course se fait en douceur. Cherchez à faire le moins de bruit possible, tandis que votre pied se pose sur le sol. En douceur signifie que vous cherchez à minimiser l'effet de choc éventuel sur vos pieds et vos genoux, lesquels auront ainsi moins de chance de vous causer de la douleur après coup. Courez d'un pas léger.

Ne courez pas sur vos orteils. Courez en effectuant une motion de roulement sur l'extrémité antérieure de la plante des pieds.

L'étirement se fait le mieux, et il est le plus bénéfique, après une course, et non avant. Une brève période d'étirement léger sans extension complète avant de courir est très bien, par ailleurs.

Ne soyez pas intimidé par les autres. La seule personne avec laquelle vous êtes en compétition est vous-même.

COURIR : UNE PERSPECTIVE FÉMININE

Par Ruth Anne Bortz

Il a dit : « Tu n'en est pas capable. »

Elle a dit : « Eh bien, regarde-moi. »

Il y a trente-quatre ans, lorsque j'avais alors 46 ans, j'étais la femme d'âge moyen typique, épouse, mère et ménagère. J'avais quatre enfants, un mari formidable, une jolie maison et un parcours de vie qui me semblait près de l'idéal. Les voyages faisaient partie du répertoire des privilèges de notre mode de vie à cette époque. Traînant les enfants avec nous, nous avions vécu en Allemagne pour une année durant une période de formation, nous avions visité les Îles britanniques durant un mois en dormant dans des auberges de jeunesse et fait plusieurs fois du ski en Suisse en tant que famille ; mais lorsqu'un ami médecin nous a montré ses diapos d'un voyage en Himalaya, nous avons alors été confrontés à un niveau très différent de défi. Étions-nous – étais-je – capables de supporter les efforts rigoureux qu'une telle randonnée pouvait sans l'ombre d'un doute exiger ?

Pour mon mari, l'incertitude ne constituait pas un problème. Lorsque son père est mort, il s'était mis à courir pour ne pas se laisser emporter par le chagrin ; il a conservé cette habitude et a même couru des marathons, c'est pourquoi une excursion jusqu'en haut d'une montagne n'était pas intimidante pour lui. Pour ma part, je n'avais pas cette assurance. Vrai, j'avais toujours été une athlète à l'école, jouant au basket, au hockey et au tennis avec mes camarades de classe. J'avais même été finaliste au tournoi de golf du lycée. Toutefois, ces expériences me qualifiaient-elles pour grimper une montagne de 6 000 mètres ? Je n'en avais pas la certitude.

Toutefois, j'ai bel et bien réussi cet exploit et je n'étais pas la traînarde du groupe. J'ai trouvé l'aventure exaltante. Lorsque nous avons émergé de notre expérience, j'ai senti que j'étais dans la meilleure forme de ma vie. Il n'y avait pas de montagne que je ne puisse gravir, de marathon que je ne puisse courir.

« Tu n'es pas capable de faire cela » me suis-je fait dire. « Courir un marathon n'est pas dans tes cordes. Suer n'est pas ton style. Tu n'es pas intéressée par les souliers de course. »

« Regarde-moi. »

J'avais alors la chance d'avoir une voisine qui était une amie intime. Elle s'appelait Nicki Weicker et elle partageait mon intérêt pour garder la forme. Nous nous sommes rencontrées devant la boîte aux lettres dans nos tout nouveaux vêtements de course. Nos cheveux coiffés, notre rouge à lèvres parfait, nos souliers lacés, nous avons pris notre départ. D'abord nous avons parcouru 3 kilomètres, puis 5, et ensuite 8. « Où est la difficulté ? Nous sommes capables de faire cela. »

Nous nous sommes inscrites à une course de 10 kilomètres et nous y avons fait bonne figure, terminant avec le sourire. Mon mari souriait également, mais il n'était toujours pas convaincu. Nos enfants ont commencé à prêter attention à leur maman coureuse et à l'encourager. Après quelques mois, j'ai participé à mon premier marathon, l'*Avenue of the Giants Marathon,* au milieu des séquoias du nord de la Californie. Cet événement, en 1978, fut comme une véritable renaissance pour moi. Je vins au monde en tant que marathonienne. Le fait que j'aie laissé mon mari loin derrière avec le peloton n'était pas une coïncidence. Il courait simplement pour en accumuler les bienfaits pour sa santé. Je courais pour gagner. Nous avons développé un style de vie complètement différent avec des dévotions différentes et des amis différents. Je me suis inscrite à plusieurs autres marathons et y ai très bien figuré, considérant mon groupe d'âge. Pendant ce temps, notre plus jeune fils, Walter, s'est mis lui aussi à la course. Il avait l'avantage d'être un beau coureur qui ne semblait pas déployer beaucoup d'effort et parcourait des kilomètres sans peine. En 1981, nous avions développé une amitié avec des gens qui étaient impliqués dans le *Western States 100-mile trail run,* allant de *Squaw Valley* à Auburn, en Californie, le long d'une vieille piste pour mineurs. Cette course était certifiée comme étant le test d'endurance le plus difficile au monde. Elle semblait nous interpeller au plus haut point en tant que défi.

Avec une certaine fierté, Walter s'y est inscrit et il s'est imposé. Nous l'avons regardé courir et encouragé, et je me suis demandé : « Serais-je capable de le faire aussi ? »

« Tu ne peux pas faire cela. »

« Regarde-moi. »

Ainsi, en 1984, à l'âge de 54 ans, j'ai pris part à ce qui me semble l'expérience la plus follement invraisemblable de ma vie plutôt confortable jusque-là. À 5 h le matin, sous le télésiège à *Squaw Valley,* à la ligne de départ et entourée de ma famille plutôt nerveuse, je me trouvais devant le défi de parcourir 160 kilomètres d'incertitude, de terrain inconnu. Je devais courir dans des champs couverts de neige, puis des canyons où la température atteignait plus de 37° C, traverser l'*American River* sur une corde, pour avancer ensuite dans la nuit avec la lumière d'une simple lampe de poche pour me guider sur le chemin. L'aube a fini par se pointer le bout du nez, tandis que mon mari, qui avait choisi de m'accompagner pour les 50 derniers kilomètres, alternait entre les encouragements enthousiastes et les jurons pour me stimuler dans les derniers kilomètres jusqu'à Auburn, distance qui me paraissait si énorme à cette étape ultime. Un peu après 9 h, j'ai posé le pied sur la piste de course du lycée d'Auburn. Devant moi, je pouvais apercevoir ma famille en liesse, tout comme elle l'avait été à mon départ, 28 heures et 160 kilomètres auparavant.

«Oui, je le peux.»

Deux ans plus tard, à l'âge de 56 ans, j'ai participé à l'événement à nouveau, cette fois terminant le parcours 4 heures plus tôt. J'ai continué à courir depuis lors, me méritant des trophées féminins dans la catégorie des plus de 60 ans, puis des plus de 70 ans, au marathon de Boston. Voici qu'aujourd'hui, cet héritage de course à pied a été transmis à la jeune génération. Tous les quatre de nos enfants, de même qu'un de nos petits-enfants, ont complété des marathons, et une autre de nos petits-enfants a inscrit un futur marathon à son agenda. Mon mari et moi planifions de courir le marathon de Boston à nouveau pour célébrer notre quatre-vingtième anniversaire bientôt. Et puis quoi ensuite? Pourquoi nous arrêter là?

COURIR: UNE RÉTROSPECTIVE PERSONNELLE

par Walter Bortz

Pourquoi courir?

Pourquoi, selon vous, l'expression «né pour courir» a-t-elle été utilisée comme titre d'une chanson à succès et d'un best-seller aux États-Unis? Parce qu'elle témoigne de notre héritage dont les racines remontent à des millions d'années. Tous nos ancêtres étaient des coureurs. Ceux qui ne couraient pas ne sont pas nos ancêtres... leurs gènes n'ont pas survécu pour ensuite nous être transmis.

Herbert Spencer s'est fait le champion du principe de la survie des plus aptes. Il ne savait pas alors qu'il était en train d'affirmer également la survie des gènes les plus aptes. Bien que nous ne soyons pas dotés d'un gène spécifique entourant la course, une majorité de l'ensemble de nos 20 000 gènes ou plus a un certain lien avec la course. Courir est bon pour chacun de nos gènes, et le contraire – ne pas courir – s'avère funeste pour tous nos gènes. Si nous ne courons pas, ces gènes seront sous-exprimés, ce qui est une autre manière de dire que leurs signaux ne seront pas adéquatement activés.

Et nous ne pouvons tout simplement pas nous rendre à la pharmacie du coin pour nous procurer un nouvel ensemble de gènes parfaits. Aucune chance! Pour que nos gènes soient en bonne santé, il faut nous y prendre de la bonne vieille manière: en travaillant fort. Les gènes en santé ont un coût qui se mesure en gouttes de sueur.

L'adoption de la roue et de l'électricité par l'humanité a embrouillé la relation qui existait entre la santé et l'effort exigé pour la maintenir. Il n'existe aucun substitut à l'effort. C'est là la raison d'être de la course à pied.

Quand doit-on courir ?

La question est simple ; voici une réponse tout aussi simple : chaque fois que vous en avez la possibilité. Je sens le besoin de courir dès le matin, avant que le reste de la journée commence à changer mes priorités. « Je manque de temps » ne constitue pas une raison acceptable de ne pas courir. La course à pied est la clé d'un mode de vie sain et toute distraction qui court-circuite ce processus procède d'un manque d'autorité. Quand faut-il courir ? Chaque fois que vous le pouvez. Faites-le, un point c'est tout, comme le dit la publicité.

Où courir ?

Cette question n'est pas bien difficile à répondre. Vous pouvez courir à l'endroit où vous vous trouvez, dans l'appartement ou sous la pluie, dans un gymnase ou sur une piste de course, dans le quartier ou à la plage, ou encore le long d'un sentier en montagne. Lorsque nos ancêtres sortaient de leur tanière et apercevaient un repas potentiel leur permettant de nourrir leur progéniture affamée, en train de brouter tout près, ils ne se laissaient pas dissuader par les circonstances. J'adore courir quand les conditions sont au pire. Un matin de janvier à Chicago, j'avais prévu faire une course de 8 kilomètres. Il faisait un froid de canard, le vent me transperçait littéralement et il neigeait légèrement. J'ai omis de vérifier la direction du vent, qui soufflait vers le nord, le long du lac. J'avais le vent dans le dos en courant en direction nord, mais au retour, j'ai fait connaissance avec mon nouvel adversaire, un vent de face, vif et cinglant. Lorsque je fus de retour à ma chambre d'hôtel, du givre pendait de mes sourcils et mes narines étaient encroûtées. L'air qui sortait de ma bouche se transformait en flocons de neige. Mais j'avais réussi et je me sentais incroyablement mieux pour l'avoir fait.

L'inverse de cet épisode s'est déroulé lors d'une course, un dimanche matin, entreprise dans la *Yosemite Valley*. J'ai couru en descendant la vallée bordée par les grands arbres verdoyants d'une forêt sombre. Après quelques heures sur le parcours, j'ai tourné un coin et devant mes yeux, encadré par la forêt majestueuse, est apparu *El Capitan* dans toute sa magnificence, illuminé par un soleil brillant. J'avais le sentiment d'avoir couru directement jusqu'à des portails de saphir. Mes endorphines bouillonnaient d'excitation. De telles expériences inoubliables arrivent à tous les coureurs.

La question de quand courir peut s'avérer importante, mais *où le faire* est une considération triviale. Je me rappelle une course, très tôt le matin, autour d'un joli lac, à Hanoï, à l'endroit même où l'avion du sénateur John McCain était tombé, en 1967. Mon attention se portait sur le panorama environnant et dans ma distraction, j'ai trébuché sur quelque chose et je me suis comiquement retrouvé par terre, le visage dans une flaque d'eau sur le trottoir. Des gens qui se tenaient tout près, absorbés dans leur tai-chi matinal, ont suivi des yeux mon plongeon avec perplexité, se demandant sans doute qui était ce vieux type en train de courir en caleçons et interrompant leur rêverie matinale, sans parler de la sienne. Mais en une fraction de seconde, chacun avait repris son aplomb. La manière dont vous courez n'a pas vraiment d'importance, tant que vous le faites.

Ne vous inquiétez pas de votre style. Je suis un coureur terrible, mon rythme est lent et bizarre, et j'ai l'impression d'avoir des bottes d'armée aux pieds. Le style n'a, en fait, aucune réelle importance. Sur mes parcours, je suis inévitablement dépassé par des hordes de cyclistes qui vont et viennent. Il m'arrive à l'occasion d'entendre leurs commentaires de dérision. Je laisse passer ces paroles sarcastiques : « Pourquoi ce vieux schnock n'est-il pas chez lui, à l'endroit qui lui convient, dans son lit ? » À une certaine période, j'étais contrarié par un tel mépris de mes efforts, mais maintenant j'ai tourné la chose dans l'autre sens ; je me dis que leur désapprobation à mon égard en tant que coureur est leur problème, pas le mien. En adoptant cette perspective, je m'appuie sur un bienfait dissimulé associé à la course : elle engendre ce que les Français nomment le *sang-froid,* une suprême indifférence face à l'insensibilité d'autrui. Ainsi, il vous faut courir pour acquérir votre propre *sang-froid.*

Je cours pour terminer le parcours. Il y a toujours un but, là, quelque part, à la ligne d'arrivée du marathon, à 42,195 km à partir de la ligne de départ. J'ai pris part à 40 marathons, le premier en 1971, et j'en ai terminé 38.

J'ai abandonné la partie en 1975, alors que je courais le marathon de Boston, un jour froid et misérable où j'étais trempé. Lorsque j'ai atteint les collines *Newton*, juste avant *Heartbreak Hill*, je me suis dit que notre fils, Walter, âgé de 16 ans, devait avoir déjà terminé son parcours, au centre-ville de Boston. Je n'arrivais pas à me faire à l'idée de le laisser bavarder tranquillement avec des copains en attendant son papa traînard encore deux heures. C'est pourquoi j'ai lancé la serviette.

L'autre marathon non terminé s'est déroulé à Beijing. La course a commencé devant la tombe de Mao, sur la place Tian'anmen. D'abord, nous sommes passés devant le palais impérial, puis nous sommes sortis vers les boulevards de Beijing, devant les édifices monolithiques du gouvernement et du futur site olympique, initialement encouragés par la foule, du moins pour un temps. Mais après une heure, les foules ont commencé à se raréfier. Trois heures plus tard, j'étais complètement seul. Je m'approchais de la borne indiquant la moitié du parcours, 20 kilomètres. Quelques officiels se sont approchés pour m'indiquer que mon parcours était terminé. Les rues avaient été ouvertes à la circulation et tous les postes de repos et de direction avaient été enlevés. Je n'avais complété que la moitié du parcours. J'ai ronchonné. Que pouvais-je y faire au juste ? Je n'étais qu'un vieil anglophone aux cheveux blancs, traversant au pas de course la capitale chinoise en caleçons. La seule chose dont je me souvienne de la randonnée en taxi jusqu'à mon hôtel est l'insistance du chauffeur pour que toutes les fenêtres du véhicule demeurent grandes ouvertes vu l'odeur de mes baskets qui lui levait le cœur.

Un des avantages de l'endroit où nous habitons, ma femme et moi, est la proximité de l'université Stanford. Tout près de nous se trouvent des patients, des lauréats, des experts mondiaux sur nombre de sujets, des auteurs réputés et des amis très chers. Parmi eux figure Jack Barchas, qui occupait en 1980 le poste de directeur du département de neurologie à Stanford, et qui est maintenant directeur à Cornell. J'ai mentionné une fois à Jack que j'allais rencontrer un groupe de coureurs sur une piste longue de 160 kilomètres dans les montagnes de la Sierra Nevada, lesquels prenaient part à ce qui était considéré par plusieurs comme la course de compétition la plus difficile au monde. Je lui ai dit qu'il y avait de bonnes chances que ce soient là les gens les plus en forme sur la planète. J'ai suggéré que cela me semblait l'occasion par excellence de pouvoir mesurer le niveau d'endorphine dans leur sang. Ces petites molécules magiques avaient la réputation d'être responsables de l'exaltation des coureurs, de leur insensibilité à la douleur et autres délices du genre.

Quelques jours plus tard, je me suis retrouvé en train de traîner un appareil réfrigéré permettant de centrifuger et collecter le sang jusqu'en haut de la Sierra, où j'ai pu prendre des échantillons sanguins de 51 des coureurs avant, pendant et après leur course de 160 kilomètres. La collecte « pendant » a été la plus passionnante, car j'étais assis, perché au sommet d'une montée de 450 mètres, au kilomètre 98, tandis que les coureurs atteignaient la crête et s'arrêtaient pour me permettre de prendre un spécimen.

Après avoir congelé, centrifugé et séparé les échantillons, je les ai acheminés au laboratoire de Stanford. Jack a mesuré les niveaux d'endorphine, lesquels se sont avérés les plus élevés jamais enregistrés. Nous avons publié ces résultats dans le *New England Journal of Medicine* et notre article n'était que le deuxième à être rédigé sur les effets de l'exercice sur la production d'endorphines. Le premier avait été publié par un collègue coureur, Leo Appenzeller, dans une obscure revue scientifique dont la trace est maintenant disparue dans les corridors de l'histoire. J'ai utilisé ces résultats dans un article subséquent que j'ai rédigé pour la revue *Runner's World,* intitulé « The Runner's High[1] » en sorte qu'ils soient connus de tous.

Courir n'est pas seulement bon pour vous. Cela vous fait vous sentir vraiment bien, une forme positive de dépendance.

Alors demeurez continuellement sur l'effet de cette substance légale. J'ai certainement l'intention de faire de même.

Même une mauvaise course est mieux que pas de course du tout. Courir un peu est mieux que ne pas courir du tout. Chaque sortie compte.

Vous n'aurez jamais une course que vous regretterez. Vous n'avez pas envie de courir ? Faites-le quand même. Vous serez toujours très content de l'avoir fait.

Il n'y a aucune honte à marcher à l'occasion.

Faites les deux, quand la situation l'impose. Variez vos parcours. Variez votre allure.

Au sujet de la respiration : N'oubliez pas d'expirer ! Purgez vos poumons du CO_2 consciemment. Votre corps a le réflexe de s'assurer d'un apport suffisant en oxygène, mais vous pouvez rendre le processus plus efficace encore en expirant consciemment. Utilisez la respiration abdominale pour vous débarrasser des crampes ou des points au côté – c'est-à-dire inhalez consciemment à partir de la partie inférieure de votre diaphragme.

Il n'existe aucun substitut aux minutes, aux heures, aux jours et aux semaines passés sur une piste ou une route quelconque. La course pratiquée de la bonne manière procure de la joie et elle crée une sorte de dépendance. Vous ne le regretterez jamais.

Un collègue m'a envoyé cet ancien proverbe africain, qui pourrait servir de rappel fondamental.

Chaque matin en Afrique
Une gazelle se réveille.
Elle sait qu'elle doit courir plus vite
Que le lion le plus rapide
Ou elle sera tuée.

Chaque matin en Afrique
Un lion se réveille.
Il sait qu'il doit courir plus vite
Que la plus lente des gazelles
Sinon il mourra de faim.

Cela n'a aucune importance
Que vous soyez un lion ou une gazelle.
Dès que le soleil se lèvera
Vous feriez mieux de vous mettre à courir.

LA MARCHE PEUT FAIRE L'AFFAIRE AUSSI

La directive de sortir et de marcher semble être un message d'une portée universelle à notre époque caractérisée par une réelle épidémie d'obésité, d'indolence, et leurs compagnons d'infortune, le diabète et la mauvaise santé en général. Nous ne pouvons que souligner l'importance d'un tel message. Marcher est bon pour la santé, c'est naturel et l'activité devrait être recommandée à chaque moment, pour tout le monde.

La marche procure des bénéfices évidents, bien que l'exercice diffère de la course. Courir comporte une signature énergétique différente. Dans la marche, un pied est toujours en contact avec le sol. Par définition, courir requiert que les deux pieds soient au-dessus du sol durant chaque enjambée, ce qui implique considérablement plus d'énergie pour déplacer son propre poids. Il est possible de courir trop, avec le risque éventuel d'une blessure ou d'une trop grande dépense de ses ressources. Marcher, par ailleurs, peut se produire, en principe, de toutes sortes de manières, tant que la personne a l'énergie de continuer à mettre un pied devant l'autre. La plupart des gens ne marchent pas assez, mais il est presque impossible de marcher trop.

La recommandation de marcher est devenue presque un mantra pour les gens âgés, de nos jours. Elle devrait être de mise tout autant (sinon plus) pour les enfants et les jeunes adultes, pour lesquels les risques d'obésité et de diabète ont des conséquences plus durables et plus coûteuses. Bien que les bénéfices de la marche soient largement tenus pour acquis, il y a une certaine pénurie de données scientifiques pour appuyer cette hypothèse d'une manière mesurable.

Récemment toutefois, 250 000 hommes et femmes ayant un âge variant entre 50 et 70 ans ont été soumis à une étude intensive explorant la relation entre un programme d'exercice axé sur la marche et l'espérance de vie. Tous les candidats ont été soumis à un régime d'exercices conçu par l'*American College of Sports Medicine,* en collaboration avec l'*American Heart Association* et intitulé *Exercise Guidelines for Healthy Adults and Exercise Guidelines for Adults Over 65*[2]. Les sujets représentaient un large éventail de types corporels et de niveaux d'IMC, et ils furent soumis à un régime d'exercices modérés (marche rapide durant 30 minutes par jour, cinq jours par semaine) ou d'exercices intenses (20 minutes par jour, trois fois par semaine). Les résultats ont été clairs et convaincants. Ceux qui étaient engagés dans le programme modéré de marche ont vu leur risque de décès diminuer de 27 pour cent. Le groupe d'exercice vigoureux a bénéficié, pour sa part, d'un bienfait encore plus grand avec 32 pour cent.

Développement plutôt inattendu, les personnes ayant un surplus de poids ont obtenu le même bienfait par rapport au même niveau d'exercice que les sujets plus sveltes, même si la personne n'avait pas perdu de poids durant l'étude. En d'autres mots, l'exercice surpasse l'alimentation en ce qui a trait à la santé, une découverte qui va à l'encontre de ce que l'on serait tenté de croire d'habitude. C'est là une révélation importante, considérant l'insistance sur les facteurs alimentaires dans la plupart des discussions publiques touchant la santé. Aussi important qu'un menu équilibré puisse l'être, un programme régulier d'exercices aura un plus grand impact sur votre santé.

De plus, l'étude a démontré une réduction significative de décès reliés aux maladies du cœur parmi les candidats à l'exercice, de même (quoique moindre) qu'une réduction de décès suite au cancer.

Cependant, bouger n'est pas nécessairement toujours relié à des exercices formels ou structurés. Une activité inconsciente peut avoir un certain effet aussi, particulièrement ce genre d'activité que nous associons habituellement avec le fait d'avoir la bougeotte. Le Dr James A. Levine, de la Clinique Mayo, a identifié une catégorie d'activité appelée activité de non-exercice thermogenèse (NEAT). Pensons à cela comme étant une activité physique spontanée. En termes de dépense physique d'énergie, une personne très active peut ainsi dépenser jusqu'à 50 pour cent de son énergie en calories NEAT. Une personne très active est quelqu'un qui trouve difficile de demeurer assis à un bureau, le jour durant, et qui est constamment en train de trouver des prétextes pour se lever et se déplacer ; la personne semble debout presque tout le temps et elle semble être continuellement en train de bouger. Tandis que ce genre de mouvement n'est pas aussi efficace en tant que stratégie pour la santé que l'exercice formel, il peut néanmoins avoir un effet positif sur le maintien du métabolisme. Tout cela s'additionne au bout du compte.

L'importance de bouger est le fondement d'un vieillissement en santé. Cela implique de marcher, de courir, de faire régulièrement de l'exercice, quelle qu'en soit la forme. Cela signifie passer à l'action, se mettre à vivre !

LES BLESSURES

Les blessures peuvent grandement incommoder durant l'exercice. Les coureurs semblent particulièrement exposés à celles-ci, tout spécialement lorsqu'ils s'entraînent généralement sur une chaussée dure. Orteils, pieds, chevilles, genoux, sans parler de nombre de muscles et de tendons, sont vulnérables aux blessures et à la douleur. L'entraînement aux haltères peut provoquer des déchirures aux muscles et une panoplie de blessures aux tendons. Comment faire alors ?

En premier lieu, la chose la plus évidente est d'adopter des stratégies conscientes en vue de minimiser les occasions de blessures. Pour la course à pied, ces mesures devraient inclure une période de réchauffement avant d'y aller à fond. La période de réchauffement devrait comporter plusieurs éléments : elle devrait inclure le fait de commencer à un rythme plus lent, puis d'augmenter peu à peu la cadence. Des exercices légers d'étirement – et non l'étirement complet qui est de mise *après* une séance d'entraînement – peuvent aider également.

Si une douleur apparaît pendant que vous courez, portez-y attention. Les actes de bravoure inutiles ont ruiné nombre de programmes d'entraînement. La douleur est la manière dont votre corps vous informe que quelque chose ne va pas. « Continuer jusqu'à ce que la douleur passe » lorsque celle-ci est causée par la course n'est généralement pas une bonne idée. Chercher à éviter toute blessure peut s'avérer une pratique saine, toutefois, et une bonne manière d'éviter des revers dans votre entraînement.

Parfois, cela peut s'avérer tout simplement une question de ralentir le rythme. Ou de marcher. Ou de prendre une pause jusqu'à ce que la douleur ait disparu.

Selon le type de blessure, évidemment, le coureur a une série de solutions de remplacement face à son programme d'entraînement. Un vélo stationnaire s'est avéré une option pratique pour nombre de coureurs blessés tandis qu'ils récupéraient. Parmi les coureurs âgés de 50 ans et plus, la fasciite plantaire, qui entraîne une douleur atroce au talon, est devenue un phénomène très répandu. La guérison implique l'étirement quotidien du tendon et beaucoup de temps – c'est là un bon exemple d'une situation où un vélo stationnaire peut s'avérer d'une grande utilité.

Si vous pouvez marcher, fixez-vous un régime de marche rapide en gardant un rythme en dessous du seuil de la douleur associée à la course. La nage est une autre option qui en vaut la peine.

Les blessures sont habituellement limitées à un membre ou une articulation spécifique. Cela implique que vous n'êtes pas nécessairement obligés de mettre un terme à votre programme d'exercices. Essayez autre chose. Il y a toujours des exercices optionnels utilisant un ensemble de mouvements qui permettent de contourner une blessure. Des blessures mineures à l'épaule, à titre d'exemple, sont fréquentes dans la salle des haltères. L'épaule est une articulation incroyablement complexe et une légère tendinite ou une blessure à la coiffe des rotateurs peut vous forcer à vous immobiliser complètement. Cependant, vous découvrirez souvent que la blessure est un problème associé à une série de mouvements très spécifiques et votre épaule peut s'avérer parfaitement capable d'un certain nombre d'autres exercices qui ne causent aucune difficulté. Le principe directeur de « bien se connaître » peut être très utile lorsqu'on compose avec une blessure. Il vous aidera à développer la capacité d'évaluer ce qui requiert les soins d'un spécialiste, ce qui n'exige qu'un peu de repos, et ce qui peut être contourné.

Chaque personne active doit composer avec des blessures mineures de temps en temps. Cependant, si nous portons suffisamment attention à la situation, nous ne serons pas nécessairement obligés de nous arrêter à cause d'une blessure : nous pourrons tout simplement ralentir le rythme ou changer de programme d'exercices. Mieux encore, notre corps est une machine merveilleuse, capable de se guérir elle-même ; plus nous serons en forme et plus notre récupération d'une éventuelle blessure sera rapide et meilleure.

LES COMPOSANTES D'UN VIEILLISSEMENT RÉUSSI

Nous pouvons maintenant énumérer quelles sont les composantes essentielles qui maximisent le potentiel qu'est le nôtre, non seulement de vivre jusqu'à 100 ans (et au-delà), mais également de jouir d'une pleine mesure de vie – saine, fonctionnelle et autonome – et qui nous a été transmis par notre héritage évolutionniste. Voici donc quelles sont les composantes essentielles d'une vie saine et longue :

- *Masse musculaire maigre.* Les muscles attachés à notre squelette sont les principaux pilotes de notre moteur métabolique. Le ratio entre notre masse musculaire maigre et notre poids total est une mesure clé de notre santé.

- *VO$_2$ max.* Cette mesure reflète la capacité de notre corps de transporter et d'utiliser l'oxygène durant l'exercice. Elle est considérée comme étant le meilleur indicateur de notre endurance cardiorespiratoire et elle est largement reconnue comme le meilleur indice touchant notre système cardio-vasculaire et notre puissance d'aérobie.

- *Nutrition.* Il a été dit que « nous sommes ce que nous mangeons ». Bien que cela ne soit pas aussi fondé que certains voudraient bien nous le faire croire, ce que nous consommons (de même que le volume de cette consommation) est sans doute le sujet le plus controversé touchant la santé et la longévité actuellement. Et cela inclut l'industrie multimilliardaire des vitamines et des suppléments, qui sont, à juste titre, sujets à controverse en tant que facteurs s'inscrivant dans une stratégie de santé personnelle.

- *Sexualité.* Il est remarquable que le sujet de la sexualité soit si rarement abordé lorsqu'on parle d'enjeux touchant la

santé, la longévité et le vieillissement. Nous avons l'habitude d'entendre des conseils indiquant que l'âge ne devrait
pas être un empêchement à une vie sexuelle active ; cependant, ce que nous voyons plus rarement est une réflexion
profonde et analytique sur la relation fondamentale entre la
sexualité et la vie. La sexualité et la vie sont – ou devraient
être, à tout le moins – directement reliées aux dynamiques
et aux phénomènes qui définissent la jeunesse, la vitalité
et la vie elle-même.

- *Un cerveau en santé.* Il y a deux dimensions à ce facteur.
  La première est la santé physique de notre processeur central, sa vitalité cellulaire et son fonctionnement. L'autre est
  notre état psychique, cet ensemble complet d'attitudes, de
  désirs, de volonté et d'adaptabilité que nous qualifions parfois d'«éléments intangibles», lesquels peuvent rehausser
  ou subvertir les autres facteurs. Le stress, par exemple,
  peut véritablement tuer.

- *Engagement* – se savoir utile. Sans doute le facteur le plus
  commun parmi les centenaires est la présence de liens
  sociaux solides, de relations profondément enracinées et
  d'une certaine forme d'engagement qui procurent la passion
  d'affronter chaque jour comme si c'était le premier. On
  ne saurait exagérer l'importance de cet élément.

- *Le mouvement* est l'élément crucial, l'essence même de ce
  qui reflète notre vie en tant qu'être humain. Il est à la fois
  cause et effet, ce qui procure la santé et ce qui en résulte.
  Les muscles nous donnent la force de bouger et la capacité
  d'accomplir différentes fonctions qui expriment le fait que
  nous sommes en vie ; l'oxygène nous procure le carburant
  qui permet de bouger et la force de combustion qui anime
  nos cellules ; la nutrition nous assure continuité autant
  qu'énergie ; notre cerveau en santé contribue un milieu

intime, qui remplit notre vie de valeur, d'un sens inné d'identité personnelle ; la sexualité et l'engagement assurent que le cercle de notre santé inclue non seulement notre corps, mais également notre interconnexion avec d'autres membres de notre espèce. C'est là une remarquable constellation d'outils à partir desquels nous pouvons nous aménager une voie menant vers le cap des 100 ans ou plus.

CHAPITRE 4

FORME PHYSIQUE ET AÉROBIE :
LA VOIE CRUCIALE

L'OXYGÈNE – LE CARBURANT DE LA VIE

L e corps humain est composé presque aux deux tiers d'oxygène. Le fait que l'oxygène soit également l'élément le plus abondant dans la croûte terrestre, représentant environ 50 pour cent de sa matière, constitue un rappel quasi poétique que nous sommes littéralement tirés « de la terre ». Historiquement, l'oxygène, ou son absence, a été le déterminant clé de la vie sur cette planète. L'atmosphère primordiale entourant la terre contenait une quantité négligeable d'oxygène et pour une bonne raison : cet élément est parmi ceux qui sont les plus réactifs. Les atomes d'oxygène libres cherchent continuellement d'autres éléments avec qui s'associer, tels que l'hydrogène, pour former de l'eau, ou le fer, pour former la rouille, ou le carbone, pour faire du dioxyde de carbone. Il y a deux milliards d'années, les premiers organismes photosynthétiques ont commencé à utiliser la lumière du soleil pour transformer l'eau et le dioxyde de carbone en oxygène moléculaire, contribuant à la planète une abondance d'oxygène atmosphérique, déclenchant l'ouragan de feu évolutionnaire qui a mené à la prolifération des différentes formes de vie que nous connaissons aujourd'hui.

Le déclenchement et le maintien de tous nos processus de vie sont dirigés par quatre facteurs de base : les glucides, l'eau, les protéines et l'énergie. On peut considérer l'oxygène comme étant l'ingrédient primordial clé derrière chacun de ces quatre éléments favorisant la vie. Chaque jour, nous respirons en moyenne 20 000 fois. L'oxygène pénètre dans notre organisme sous la forme de molécules de deux atomes d'oxygène couplés. Il le quitte de deux manières : soit sous la forme de deux atomes d'oxygène attachés à un atome de carbone (dioxyde de carbone), ou d'un atome d'oxygène lié à deux atomes d'hydrogène, de l'eau. Entre les deux, l'oxygène constitue l'élément essentiel assurant les fonctions métaboliques du corps. La concentration d'oxygène dans un corps humain en bonne santé est approximativement trois fois celle de l'air, notre source fondamentale de carburant.

Tous les processus métaboliques dans l'organisme sont gérés par l'oxygène. Même notre capacité de réfléchir, de ressentir et d'agir exige une production d'énergie reliée à l'oxygène. L'oxygène joue un rôle déterminant dans un fonctionnement métabolique adéquat, dans la circulation sanguine, dans la digestion, dans l'assimilation des nutriments et dans l'élimination des déchets cellulaires et métaboliques. Un apport suffisant d'oxygène permet à l'organisme de se reconstruire et de maintenir un système immunitaire adéquat. Dans ce que nous définissons comme la règle de priorité inversée, il a été suggéré que les facteurs de santé les plus importants sont ceux sans lesquels nous serions incapables de continuer à vivre. À titre d'exemple, nous pouvons arriver à survivre sans nourriture durant environ 40 jours. Sans eau, nous sommes bons pour 7 jours, tout au plus.

Sans oxygène, cependant, la vie cesse d'exister après seulement quelques minutes.

Tout cela souligne le rôle déterminant que la forme physique et l'aérobie jouent dans le domaine de notre santé, notre bien-être et la durée de notre vie. Par définition, les exercices aérobiques sont des activités physiques vives qui exigent un plus gros travail de la part du cœur et des poumons pour combler la demande accrue d'oxygène. Les exercices aérobiques augmentent la quantité d'oxygène disponible dans le sang, ils augmentent la circulation sanguine dans tout le corps, contribuant un apport plus important d'oxygène à tous les organes vitaux. De plus, un programme régulier d'exercices d'aérobie favorisera l'augmentation en volume et en efficacité des vaisseaux sanguins, et plus particulièrement de l'artère coronaire, la plasticité phénotypique par excellence à l'œuvre. La durée des exercices est importante. Pour tirer tous les bienfaits en termes d'aérobie, l'activité devrait être poursuivie durant 20 à 60 minutes par session.

Certains exemples d'exercices d'aérobique largement accessibles incluent le cyclisme, le vélo tout-terrain, la course, la natation, le ski de fond, le basket, la corde à danser, le patin, la marche rapide et plusieurs formes de danse. En supplément à ces activités, il est possible de s'adonner à des séances d'entraînement aérobique avec des appareils tels que vélo stationnaire, tapis roulant, exerciseur et ergomètre.

LE PROCESSUS RESPIRATOIRE

À mesure que l'air se déplace dans les poumons, de petits sacs appelés alvéoles se gonflent. Des capillaires entourent chacun de ces sacs et forcent les globules rouges à circuler presque en file indienne, chaque globule échangeant sa charge de dioxyde de carbone pour une charge toute fraîche d'oxygène. À partir des poumons, l'oxygène est alors transporté par le sang des artères vers chaque cellule du corps. Dans les tissus de l'organisme, les globules repassent à travers une autre série de capillaires, où ils déposent leur charge d'oxygène et ramassent du dioxyde de carbone avant de faire le voyage de retour vers les poumons.

Le processus général utilisé par les cellules pour transformer les aliments en énergie est appelé respiration. La respiration est le contraire de la photosynthèse. Ce que les plantes accomplissent par photosynthèse pour transformer l'énergie en sucre, la respiration l'accomplit en contrepartie pour changer le sucre en énergie. Au niveau cellulaire, cette opération est mise en œuvre par le biais d'une séquence circulaire appelée cycle de Krebs. Ce processus permet d'emmagasiner l'énergie dans une molécule appelée adénosine triphosphate (ATP). L'opération exige éventuellement l'emploi d'oxygène pour la combustion du glucose, ce qui crée un sous-produit de dioxyde de carbone et d'eau selon la formule chimique classique suivante :

$$C_6H_{12}O_6 + 6O_2 \rightarrow 6CO_2 + 6H_2O + ATP$$

Cette formule est à la biologie cellulaire ce que la célèbre formule d'Einstein, $E = mc^2$, est à l'énergie nucléaire, une description fondamentale de la transformation de la matière en énergie.

C'est la présence de l'oxygène qui permet au corps de transformer les aliments en énergie. Cela se produit essentiellement de la même manière pour les nerfs, les muscles, le cœur et les tissus corporels. Lorsque privée d'oxygène, la respiration cellulaire va éventuellement s'arrêter et la cellule va mourir.

Un litre de sang peut dissoudre 200 cc de gaz d'oxygène, ce qui est beaucoup plus que ce que peut dissoudre l'eau. La raison pour laquelle le sang est beaucoup plus épais que l'eau est due à sa forte concentration en oxygène. Après avoir été transporté par le sang vers un tissu corporel ayant besoin d'oxygène, O_2 est pris en charge par un enzyme qui utilise cet oxygène pour faire la combustion du carburant qui alimente notre métabolisme. Le dioxyde de carbone, un déchet, est alors libéré de la cellule dans le sang, où il se combine au bicarbonate et à l'hémoglobine pour son transport vers les poumons. Le sang circule à nouveau vers les poumons, et le processus se répète.

Le rôle déterminant de l'oxygène peut se voir le plus dans le fonctionnement du cerveau. Le cerveau est un organe qui demande beaucoup d'énergie, effectuant le traitement de milliards de bits d'information à chaque seconde. Bien qu'il ne représente que 2 pour cent seulement du poids du corps, il est responsable de 20 pour cent de la consommation d'oxygène du corps (de même que de 15 pour cent de la production cardiaque et 25 pour cent de l'utilisation totale du glucose).

La consommation d'énergie pour la simple survie du cerveau est de 0,1 calorie par minute, tandis que cette valeur peut augmenter jusqu'à 1,5 calorie par minute durant les périodes consacrées à l'intense résolution de problèmes. Lorsque les neurones dans une région particulière du cerveau ont un haut niveau d'activité, ils augmentent sensiblement leur consommation d'oxygène, ce qui a pour résultat une demande pour un apport supplémentaire de flot sanguin dans cette région. Les maladies dégénératives, telles que l'Alzheimer, le Parkinson, la sclérose latérale amyotrophique et la maladie de Huntington sont toutes associées avec la mort graduelle de neurones individuels, dans laquelle la privation d'oxygène joue un rôle central, conduisant à une dégénérescence sérieuse du contrôle du mouvement, de la mémoire et de la cognition.

La performance intellectuelle dans le corps humain peut être améliorée en « nourrissant » le cerveau d'un supplément d'oxygène ou de glucose, selon une recherche récemment publiée qui pourrait avoir des implications dans le traitement de la démence. Une diminution de l'apport en oxygène au cerveau engendre des conditions telles que la fatigue, la dépression, l'irritabilité, le mauvais jugement, ainsi qu'une variété de problèmes de santé. Une augmentation de l'apport en oxygène au cerveau et au système nerveux peut remédier à ces conditions.

La quantité d'oxygène utilisée au niveau cellulaire durant l'exercice est identifiée comme étant l'assimilation d'oxygène. En d'autres mots, c'est la mesure fondamentale de la manière dont nous utilisons l'oxygène efficacement pour soutenir et prolonger les processus entourant notre vie. Il est bien établi désormais que les mouvements modérés et vigoureux, associés au travail musculaire, augmentent la demande d'oxygène au niveau cellulaire. L'activité musculaire accélère le niveau d'assimilation de l'oxygène à partir du sang. Les mouvements physiques réguliers, ainsi que l'accélération de la respiration qui les accompagne, entraînent l'augmentation sensible de l'efficacité des fonctions corporelles suite à l'assimilation et à l'utilisation de l'oxygène provenant du sang.

La *Framingham Heart Study,* une recherche qui est devenue un point de référence et qui a débuté en 1948, a suivi un groupe d'adultes durant des décennies, en vue d'identifier le facteur commun associé avec la maladie cardiovasculaire. Parmi les résultats obtenus, on trouve une corrélation distincte entre une décroissance de la capacité respiratoire et l'augmentation de la mortalité. D'autres études en quête de données similaires ont suivi. En Australie, une vaste étude sur 13 ans a conclu que la capacité respiratoire était une variable puissante permettant de déterminer la longévité. En fait, la recherche a démontré une corrélation entre capacité respiratoire et durée de vie plus élevée que toute autre variable, incluant l'usage du tabac, le métabolisme de l'insuline et les niveaux de cholestérol.

La capacité aérobique est le terme généralement utilisé lorsque l'on parle d'usage d'oxygène associé à l'exercice. Le VO_2max est une mesure de consommation d'oxygène au point d'effort maximum et cette donnée est très importante pour les athlètes de compétition. Il n'est pas surprenant de constater que les performances athlétiques associées à la plus grande demande cardiovasculaire vont produire les scores VO_2max les plus élevés. À titre d'exemple, les scores les plus élevés connus ont été enregistrés par des skieurs nordiques de compétition.

Bien que le VO_2max ne soit pas réellement un sujet de préoccupation pour le citoyen moyen, le concept est important à comprendre. Nous avons une capacité spécifique de fournir de l'oxygène à nos tissus à travers notre système cardiorespiratoire. Augmenter notre VO_2max est un moyen direct de nous assurer que nos tissus corporels, appelés à exécuter le travail, à nous soutenir, à maintenir toutes nos composantes actives et fonctionnant de manière optimale, reçoivent tout le carburant dont ils ont besoin. Maximiser notre capacité de fournir l'oxygène nécessaire permettant à nos tissus d'être nourris est essentiel à l'atteinte d'une parfaite santé.

Notre VO_2max tend à décroître avec l'âge. Typiquement, le déclin se situe à environ 1 pour cent par année, ou 10 pour cent par décennie après l'âge de 25 ans. Toutefois, cette détérioration n'est pas obligée d'être un *fait accompli*. Un nombre d'études ont pu démontrer que des gens précédemment sédentaires, qui avaient été soumis à un programme d'entraînement à 75 pour cent de leur capacité aérobique durant 30 minutes, trois fois par semaine, pour une période de seulement six mois, ont enregistré une moyenne de 15 à 20 pour cent d'augmentation de leur VO_2max. Encore une fois, le message est clair et incontestable : il n'est jamais trop tard pour commencer à s'entraîner et toujours trop tôt pour arrêter !

Les athlètes qui ont de très hauts scores au meilleur de leur forme et qui deviennent sédentaires, découvrent que leur VO_2max va revenir au niveau de celui des personnes sédentaires. Toutefois, les « maîtres » athlètes qui parviennent à maintenir un niveau régulier d'activité à travers l'ensemble de leur vie d'adulte sont capables de conserver une bonne partie de la capacité de leur jeunesse, perdant leur VO_2max à un niveau d'un demi pour cent par année. Il est difficile d'imaginer une démonstration plus convaincante de la règle touchant l'utilisation et la désuétude.

Le lecteur attentif notera que l'oxygène est également la source des radicaux libres, ces molécules ionisées qui sont le sous-produit du métabolisme cellulaire normal. Si nous introduisons plus d'oxygène dans notre système par le biais de l'exercice physique, cela ne risque-t-il pas d'accentuer encore davantage la production de radicaux libres ? Non. Toute augmentation de radicaux libres est plus que compensée par la production additionnelle d'enzymes et autres composés moléculaires (comme le peroxyde d'hydrogène, H_2O_2) qui neutralisent ces molécules nuisibles responsables d'accélérer le vieillissement.

Les radicaux libres occupent beaucoup l'attention des chercheurs qui étudient le vieillissement et ils ont suscité l'émergence d'une industrie considérable en termes de remèdes aux antioxydants. Nous examinerons ces choses plus en détail dans des chapitres subséquents.

Nous respirons tous, que nous le voulions ou non. La capacité de retenir notre souffle, une habileté qui nous sert à très peu de choses finalement, ne saurait dépasser quelques minutes, tout au plus. Toutefois, réfléchir à la manière dont nous respirons peut s'avérer utile à plus d'un égard. Les athlètes de compétition sont très conscients de leur respiration et de leur besoin d'optimiser le volume d'oxygène passant à travers leurs poumons, de même que de la manière la plus efficace de se débarrasser du sous-produit, le CO_2. Il n'est pas nécessaire d'être un athlète, cependant, pour réfléchir avantageusement à la connexion qui existe entre respiration consciente et effort physique.

Bien que tout le monde ne s'entende pas nécessairement sur un principe unique touchant la respiration, la majorité des gens estiment qu'il est généralement considéré comme une bonne pratique de respirer à la fois par la bouche et par le nez. L'action de respirer méthodiquement autant par les narines que par la bouche peut avoir pour résultat un surplus d'oxygène passant par les voies respiratoires. L'oxygène devrait provenir du diaphragme et non de la poitrine. Lorsque la respiration est exécutée correctement, vous devriez sentir votre estomac se contracter à l'aller et au retour. Lorsque la respiration n'est pas exécutée correctement, vous risquez d'ajouter une pression supplémentaire à vos épaules, résultant en une certaine tension dans le haut du corps. Ceci peut évidemment avoir des effets nocifs, vous obligeant d'écourter votre temps de course.

Une autre pratique largement répandue de technique respiratoire durant la course est de maintenir ce que l'on appelle un ratio de respiration. Un ratio de respiration de 3-2 peut aider à conserver une saine réserve d'oxygène circulant dans l'organisme. Conserver un ratio de 3-2 signifie que pour les trois premiers pas, vous inspirez, puis que vous expirez durant les deux prochains pas, alternant entre les pas, tel qu'indiqué au tableau 4.1.

Un ratio de 3-2 est utilisé le plus souvent pour un jogging léger. Si vous courez exceptionnellement vite, votre corps risque de changer instinctivement pour un ratio de 2-1. Cela signifie que pour chaque deux pas où vous inspirez, vous n'expirez que sur un pas.

Tableau 4.1

Pied	Mode de respiration
Gauche	Inspirez
Droit	Inspirez
Gauche	Inspirez
Droit	Expirez
Gauche	Expirez
Droit	Inspirez
Gauche	Inspirez
Droit	Inspirez
Gauche	Expirez
Droit	Expirez

LES EFFETS DE LA BONNE FORME AÉROBIQUE

Il n'y a tout simplement pas d'autres remèdes thérapeutiques qui soient meilleurs pour favoriser une santé optimale et pour améliorer les perspectives de longévité que la bonne forme aérobique continue. La liste des bienfaits associés à l'amélioration de la forme aérobique des individus est longue et incontestable. Ces bienfaits incluent :

- L'amélioration des fonctions du cœur. Élargir les artères au moyen du conditionnement aérobique est l'un des meilleurs exemples de plasticité phénotypique.

- Le renforcement des muscles, ligaments, tendons et articulations.

- Un meilleur contrôle de la pression sanguine. En particulier, la diminution de la pression sanguine élevée.

- L'augmentation de la lipoprotéine à haute densité (HDL), c'est-à-dire du «bon» cholestérol dans le sang.

- La réduction des niveaux de triglycérides (substances grasses) dans le sang.

- L'aide au contrôle du poids par la réduction de tissu adipeux.

- Le soulagement de la douleur musculaire et l'amélioration de la capacité de marcher chez les gens qui souffrent de maladie vasculaire périphérique.

- La réduction des niveaux d'occurrence de différents types de cancer, particulièrement ceux du côlon, du sein, de la prostate et du poumon.

- La prévention de l'ostéoporose.

- La prévention des maux de dos dans de nombreux cas.

- La réduction des incidences d'accident vasculaire cérébral.

- L'amélioration du fonctionnement du système immunitaire.

- La diminution des besoins d'insuline et l'amélioration du contrôle du glucose pour le diabète de type 1 (dépendance à l'insuline); la prévention du développement du diabète de type 2 (non dépendance à l'insuline) et l'amélioration de la tolérance au glucose si cette condition existe.

- L'aide au contrôle de la douleur et de l'enflure des articulations chez les gens qui souffrent de l'arthrite.

- L'amélioration de la régulation de la température au repos et durant l'exercice dans différents environnements.

La bonne forme aérobique est un facteur très important touchant la croissance et le développement durant l'enfance et l'adolescence, de même qu'un facteur déterminant dans le processus du vieillissement. Un haut niveau de conditionnement aérobique durant les années de croissance est le meilleur moyen de s'assurer d'un plein développement des muscles, des os et du système cardiorespiratoire. L'exercice aérobique est plus important à cet égard que le poids corporel. Puisque la bonne forme aérobique est une mesure de la capacité de soutenir un effort prolongé, elle détermine le degré de fatigue dont la majorité des gens font l'expérience dans leur vie quotidienne. Plus élevée est votre bonne forme aérobique, moins élevé sera le niveau de fatigue dont vous ferez l'expérience, et plus rapidement vous serez en mesure de récupérer par la suite.

À mesure que nous avançons en âge, la bonne forme aérobique nous fournit un indice particulièrement important de notre « âge moléculaire » par rapport à notre âge chronologique. Comme nous l'avons vu précédemment, un individu âgé de 70 ans qui démontre un excellent niveau de forme aérobique peut jouir de l'équivalent d'un système cardiorespiratoire, musculaire et autres fonctions corporelles d'une personne de 40 ans. La compensation de l'« âge réel » dépasse toute autre affirmation de rattrapage spécifiée sur des produits anti-âge, qui au mieux, suggèrent un prolongement de la vie de trois à sept années – et invariablement sans aucune considération touchant la qualité de ces années supplémentaires. La bonne forme aérobique est sans contredit le meilleur marqueur et l'étalon le plus précis de la santé en général et de l'espérance de vie.

En tant qu'écran de protection contre la menace de nombreuses maladies dégénératives associées au vieillissement, la bonne forme aérobique est inégalée. Examinons maintenant comment le phénomène fonctionne en vue de prévenir les maladies cardiaques, les accidents vasculaires cérébraux et le cancer.

Maladie cardiaque

Une étude japonaise menée à l'*Institute of Clinical Medicine* de l'université de Tsukuba a fait la recension de 33 études différentes touchant la forme physique et impliquant près de 190 000 personnes, afin de déterminer les effets de la bonne forme aérobique sur la mortalité, et a conclu que les individus qui affichaient un bas niveau de forme aérobique avaient 70 pour cent de risque plus élevé de décès lié à n'importe quelle cause, comparés à ceux qui affichaient un haut niveau de forme aérobique. La corrélation a été si convaincante que les chercheurs ont conclu que les niveaux de forme aérobique pouvaient être utilisés comme des indices fiables de maladie cardiaque.

La bonne forme cardiorespiratoire est évaluée au moyen d'un test mesurant le niveau d'endurance au cours de l'exercice, dans lequel les participants sont généralement soumis à un exercice sur tapis roulant jusqu'à ce qu'ils manifestent des signes de fatigue ou d'épuisement. Le niveau de forme physique est alors estimé sous la forme de la capacité aérobique maximale exprimée en équivalents métaboliques de tâches (MET).

Le MET indique la quantité d'oxygène consommé par l'organisme durant une activité et représente une unité de mesure standard à partir de laquelle évaluer la charge de travail reliée à tel ou tel exercice. Un MET est équivalent à l'oxygène utilisé par l'organisme au repos. Être en mesure d'atteindre un haut niveau d'oxygène durant l'exercice, et ainsi, d'obtenir un haut niveau de MET, constitue un indicateur de la bonne forme physique.

Les chercheurs ont découvert que, comparés aux individus ayant les scores les plus élevés, ceux qui affichaient un faible niveau de forme cardiorespiratoire avaient un risque plus élevé de 70 pour cent de décès associé à n'importe quelle cause et 56 pour cent plus de risque d'une maladie cardiaque fatale. Comparés aux individus ayant un niveau intermédiaire de forme physique, ceux qui affichaient des scores relativement bas avaient 40 pour cent de risque plus élevé de décès associé à n'importe quelle cause et 47 pour cent plus de risque de mourir d'une maladie du cœur. Une forme physique moyenne est sans équivoque beaucoup mieux que pas de forme physique du tout !

Les chercheurs ont estimé qu'un niveau minimal de bonne forme cardiorespiratoire de 7,9 MET s'avérait important pour la santé en général. Exprimé en termes de vitesse ambulatoire, les hommes âgés de 50 ans devraient être capables de marcher à la vitesse constante de 6,4 km/h et les femmes devraient être capables de marcher à la vitesse constante de 4,8 km/h sur terrain plat, ou être en mesure de compléter au moins six minutes complètes d'un test standard d'endurance sur tapis roulant (qui implique de marcher sur un plan incliné mais à un rythme plus lent).

Ils ont trouvé que même une augmentation d'un MET en bonne forme aérobique était associée à une diminution de 13 pour cent du risque de décès associé à n'importe quelle cause et à un risque de 13 pour cent moins élevé de maladie cardiaque. Pour mettre ces données en perspective, la différence entre utiliser

une voiturette de golf et faire le parcours complet à pied correspond à un niveau d'un MET.

Une autre étude par le *Preventive Medicine Research Lab* au
Pennington Biomedical Research Center de la *Louisiana State
University*, à Baton Rouge, en Louisiane, a cherché à découvrir
comment parvenir à motiver les gens à s'adonner à l'exercice
lorsqu'ils entretenaient une réelle aversion pour de telles activités. Les chercheurs ont recruté 500 femmes âgées de 45 à 75 ans,
dont un grand nombre étaient des professeures à la retraite. Toutes ces femmes avaient accumulé un surplus de poids et adopté
un mode de vie sédentaire. Elles étaient pour la plupart inconscientes du fait que la cause première de décès parmi les femmes
est attribuable aux maladies cardiovasculaires, et que les femmes
ménopausées sont celles qui étaient le plus à risque.

Les chercheurs souhaitaient pouvoir déterminer exactement
quelle quantité d'exercice était suffisante pour protéger les femmes âgées qui n'avaient pas fait de l'activité physique une priorité
jusqu'ici. Pour répondre à cette question, les volontaires ont été
divisées en deux groupes. Les femmes dans un premier groupe
ont reçu l'instruction de marcher sur un tapis roulant trois fois
par semaine durant une période de 25 minutes. Les autres femmes reçurent l'instruction d'enfourcher un vélo stationnaire ou
de marcher sur un tapis roulant durant trois heures par semaine.
Tous les sujets ont eu leur rythme cardiaque contrôlé et ont été
invités à conserver une intensité modeste durant leur activité. Le
niveau d'intensité cible au cours de l'exercice a été fixé à 50 pour
cent de la capacité aérobique maximale de chacune des femmes.

À leur grand étonnement, les investigateurs ont noté une
vive amélioration de la forme physique du premier groupe qui
s'était adonné à un programme d'exercice de 75 minutes par
semaine uniquement, à un rythme plutôt modéré en plus. Au bout

des six mois de l'étude, bien qu'aucune des femmes ait perdu de poids ou ait vu sa pression sanguine diminuer, toutes les femmes avaient remarquablement amélioré leur forme aérobique. Elles avaient acquis la capacité de bouger plus longtemps et plus rapidement sans avoir le souffle court.

Des études de ce genre ont mené à la conclusion générale que la bonne forme aérobique à elle seule est l'indice clé de la longévité éventuelle. Cela n'a pas d'importance que l'individu perde du poids ou non, ou qu'il ait d'autres facteurs de risque associés à une quelconque maladie. En augmentant le niveau de forme physique, même modestement, il est possible de réduire sensiblement les risques de crise cardiaque ou d'autres causes majeures de mortalité.

L'étude de la Louisiane a également découvert que plus le niveau d'exercice augmentait et mieux ces femmes se portaient en termes de forme physique. Les femmes qui ont fait du vélo stationnaire ou qui ont marché sur le tapis roulant durant trois heures par semaine ont vu leur forme physique s'améliorer deux fois plus que celles qui ne s'étaient entraînées que 75 minutes par semaine. Il est facile de conclure que l'on n'a pas besoin de s'entraîner beaucoup pour commencer à voir des résultats positifs. Aussi, le fait d'augmenter la somme d'exercice augmente le niveau de forme physique de manière proportionnelle également.

Accident vasculaire cérébral

Une autre étude d'envergure sur une longue période de temps, financée par l'*American Heart Association,* a suggéré qu'un niveau modéré de forme aérobique pouvait avoir comme résultat une réduction significative des risques d'accident vasculaire cérébral, à la fois chez les hommes et chez les femmes. Cette étude, menée par le *Prevention Research Center,* de l'université de la Caroline du Sud, a suivi un groupe de plus de 60 000 personnes durant 30 ans, entre 1970 et 2001.

La bonne forme physique a un effet protecteur indépendamment de la présence ou de l'absence de facteurs de risque liés à l'accident vasculaire cérébral, incluant les antécédents familiaux de maladie cardiovasculaire, de diabète, de haute pression, de niveaux élevés de cholestérol et d'obésité. Cette étude a été la première à suggérer qu'il pouvait y avoir une association indépendante significative entre la condition cardiorespiratoire et l'accident vasculaire cérébral fatal et non fatal, chez les hommes et non fatal chez les femmes.

Un accident vasculaire cérébral est souvent fatal et il réclame environ 150 000 vies chaque année; c'est la troisième cause de décès aux États-Unis. Des données ont été analysées, provenant de plus de 60 000 individus ayant participé à l'étude intitulée *Aerobics Center Longitudinal Study,* menée entre 1970 et 2001 au centre *Cooper Aerobics Center,* à Dallas. L'âge des participants variait entre 18 et 100 ans et chacun d'eux avait été évalué comme n'ayant aucun symptôme de maladie cardiovasculaire connue lorsqu'il a commencé le programme. Les sujets ont été suivis durant une moyenne de dix-huit ans et durant cette période, 863 personnes (692 hommes et 171 femmes) ont subi un accident vasculaire cérébral.

Lorsqu'ils ont commencé l'étude, les participants ont subi un test permettant de mesurer leur condition cardiorespiratoire. Il leur fallait marcher sur un tapis roulant en accélérant le niveau ou la cadence, jusqu'à ce qu'ils aient atteint leur pleine capacité aérobique.

Les hommes dans le quartile supérieur (25e percentile) de forme physique avaient 40 pour cent moins de risque relatif d'accident vasculaire cérébral, comparés aux hommes dans le quartile inférieur. Cette relation inversement proportionnelle est demeurée après avoir considéré d'autres facteurs tels que l'usage du tabac, la consommation d'alcool, les antécédents familiaux de maladies cardiovasculaires, l'index de masse corporelle, la haute pression, le diabète et un haut niveau de cholestérol.

Pour ce qui est des femmes, celles qui se trouvaient dans les percentiles les plus élevés de forme physique ont eu 41 pour cent moins de risque relatif que celles qui se trouvaient dans la catégorie de forme physique la plus faible.

Il a été observé que le risque général d'accident vasculaire cérébral chutait de manière substantielle au niveau de forme physique modéré, les effets protecteurs demeurant presque inchangés jusqu'aux niveaux les plus élevés de forme physique. Cela équivalait à 30 minutes ou plus de marche rapide, ou d'une activité aérobique équivalente, cinq jours par semaine.

Il a été conclu qu'un niveau de forme aérobique de faible à modéré chez les hommes et les femmes de toutes catégories d'âge serait suffisant pour réduire de manière substantielle le risque d'accident vasculaire cérébral. Bien que les taux de décès associés aux accidents vasculaires cérébraux aient diminué au cours des dernières décennies, le fardeau pour la santé publique que constituent les handicaps reliés aux accidents vasculaires cérébraux augmente et risque même de péricliter dans les années à venir, à mesure que vieillit la population.

Cancer

Les recherches rigoureuses sur la relation qui existe entre la condition aérobique et le cancer n'ont vu le jour qu'au cours des dernières années. Quoi qu'il en soit, les résultats obtenus jusqu'ici s'avèrent encourageants, voire des plus impressionnants. La biochimie moléculaire entourant le cancer place ce dernier dans une catégorie différente des maladies cardiaques et des accidents vasculaires cérébraux, mais il est néanmoins possible d'y trouver des similitudes dans bien des cas et de voir comment les facteurs aérobiques – qu'il s'agisse de niveau suffisant ou insuffisant de forme aérobique – sont liés à la carcinogenèse.

Les cancers du sein, du côlon et de la prostate, qui sont parmi les trois formes les plus courantes de cancer, ont été étudiés dans le contexte de la condition aérobique et ils ont été trouvés comme ayant des corrélations spécifiques. À titre d'exemple, les hommes qui s'adonnent à au moins quatre heures d'exercice aérobique, de modéré à vigoureux, par semaine peuvent réduire ainsi de manière significative leur risque de cancer du côlon, selon le rapport du premier essai clinique randomisé visant à mesurer les effets de l'exercice sur les biomarqueurs de cancer du côlon dans le tissu du côlon. Le cancer du côlon est un réel sujet d'inquiétude, particulièrement dans le contexte du vieillissement – environ 90 pour cent de tous les cas se produisent chez les gens de 50 ans et plus. L'exercice aérobique à ce niveau réduit un facteur de risque spécifique – la prolifération cellulaire rapide associée avec la formation de polypes du côlon et de cancer du côlon chez les hommes. Les hommes qui ont respecté le niveau d'exercice recommandé par l'étude, soit une heure d'activité aérobique par jour, six jours par semaine, durant une année, ont connu une réduction substantielle du volume de prolifération cellulaire dans les régions du côlon les plus vulnérables au cancer du côlon.

Il a été également découvert que même une période de quatre heures d'exercice par semaine était suffisante pour en tirer un bénéfice significatif. Plus spécifiquement, à ce niveau, les chercheurs ont noté une réduction du nombre de cellules qui se divisaient activement, ou de la prolifération cellulaire, dans l'enveloppe du côlon, ou l'épithélium, qui aide à gérer l'absorption de l'eau et des nutriments.

Le poids corporel ne semblait pas avoir d'impact sur les effets de l'exercice sur la prolifération cellulaire. L'étude a démontré que les effets étaient indépendants du poids des sujets. L'exercice vigoureux a eu des effets mesurables bienfaisants pour les hommes, quel que soit leur gabarit, du moment qu'ils effectuaient leurs exercices presque tous les jours.

Le cancer du sein a été le sujet d'un certain nombre d'études encourageantes également. Dans l'une d'elles, les chercheurs ont suivi 65 000 infirmières âgées de 24 à 42 ans et ils ont découvert que les femmes qui avaient commencé à faire de l'exercice dès l'âge de 12 ans en tiraient un bénéfice protecteur contre le cancer du sein, une fois plus vieilles, et que les jeunes filles tout comme les femmes d'âge moyen pouvaient réduire le risque de cancer par le biais de l'exercice. Les femmes qui avaient été physiquement actives durant leur adolescence et le début de leur vie d'adulte étaient par 23 pour cent moins susceptibles de développer un cancer du sein après la ménopause que les femmes sédentaires.

Plus récemment, une étude de pointe, menée au *Cooper Institute* par le Dr Steven Blair, a analysé plus de 14 000 femmes dans ce qui est annoncé comme étant la première étude à évaluer l'association qui existe entre le niveau de forme physique mesurable objectivement et le décès ayant pour cause le cancer du sein. Les résultats ont été sans ambiguïté : les femmes ayant un niveau de modéré à élevé de forme aérobique avaient beaucoup moins de chances de mourir du cancer du sein. D'un autre côté, les femmes ayant le niveau le moins élevé de forme aérobique dans l'étude étaient presque *trois fois plus susceptibles* de mourir d'un cancer du sein que les femmes du groupe des plus en forme.

C'était là la première étude à examiner la relation entre la forme physique objectivement mesurable (où les enchaînements d'exercices des sujets ont été contrôlés plutôt que simplement rapportés) et le risque de succomber à un cancer du sein. Les résultats ont révélé un effet protecteur plus fort résultant de l'exercice que ce qui aurait pu être déduit des études précédentes qui s'appuyaient sur des données fournies par les sujets eux-mêmes, ce qui a amené les chercheurs à croire que leurs conclusions s'avéraient particulièrement validées.

Les chercheurs ont étudié des femmes âgées entre 20 et 83 ans, qui n'avaient aucun antécédent de cancer du sein. Les participantes à l'étude ont été soumises à des tests d'exercice maximal sur tapis roulant, entre 1973 et 2001 et elles ont été contrôlées pour ce qui est de la mortalité due au cancer du sein jusqu'en 2003. Les femmes qui s'adonnaient à un minimum de 150 minutes d'activité physique d'intensité moyenne par semaine, incluant la marche, ne faisaient pas partie de la catégorie de faible forme physique. De plus, il a été découvert que cette activité d'intensité modérée pouvait être accumulée en périodes de dix minutes. Ce niveau d'exercice rencontre les recommandations du *U.S. Department of Health & Human Services' Physical Activity Guidelines for Americans,* et peut facilement être atteint au moyen de 30 minutes d'exercice, cinq jours par semaine. .

Pour parvenir à la catégorie la plus élevée de forme physique dans cette étude, a dit Blair, les femmes devraient viser le niveau d'« activité élevée », suggéré par les recommandations fédérales, qui inclut 300 minutes d'activité d'intensité modérée, telle que la marche, sur une période d'une semaine. Cela peut être atteint au moyen de 150 minutes par semaine d'activité plus vigoureuse, telle que le jogging ou les classes d'aérobie.

Plus de 40 000 femmes meurent chaque année du cancer du sein. La découverte d'une forte association entre forme physique et évitement du cancer, qui peut même être améliorée par des choix de vie relativement peu coûteux liés à l'exercice physique et à l'activité, constitue un puissant mandat qui nous est lancé, l'absolue nécessité d'une remise en forme aérobique. De plus, l'étude a découvert – et ce n'est pas étonnant – que les femmes qui jouissaient d'un niveau élevé de forme aérobique avaient un index de masse corporelle moins élevé, de meilleurs niveaux de cholestérol, une pression sanguine plus basse et moins de conditions chroniques telles que le diabète et les maladies cardio-vasculaires.

Le cancer de la prostate frappera autour de 200 000 hommes aux États-Unis, au cours de la prochaine année. Bien que les taux de mortalité soient relativement bas comparés aux autres formes de cancer, les conséquences en termes de style de vie relié au cancer de la prostate peuvent s'avérer significatives. Pourtant, ce type de cancer semble également sensible à un régime d'exercices en tant que stratégie préventive. L'étude de la *Cooper Clinic,* citée précédemment, a analysé 13 000 hommes sur une période de 18 ans. Voici quelle en est la conclusion : un niveau de forme aérobique modéré à élevé entraîne des résultats statistiquement significatifs contre l'incidence du cancer de la prostate. Aussi peu que 1000 calories par semaine d'exercice (équivalant à marcher durant 30 minutes chaque jour, cinq jours par semaine) ont réduit le risque dans le groupe d'étude. Au moins une partie de l'effet bénéfique peut être vraisemblablement attribuée au fait que l'exercice diminue les niveaux de testostérone durant la période d'exercice, et cette suppression périodique peut faire une différence. Ceux qui s'adonnaient à un exercice de haut niveau (environ 4000 calories par semaine), ont démontré une amélioration sensible. Une étude subséquente, menée à Harvard, a révélé que les hommes qui s'adonnaient à un programme très fréquent d'exercices ne couraient que la moitié des risques d'avoir un cancer de la prostate par rapport à ceux qui faisaient peu d'exercices ou pas du tout.

Dans une étude menée à *Duke University* et rapportée dans la revue scientifique *Journal of Urology,* des chercheurs ont découvert que parmi les 190 hommes qui avaient subi une biopsie en vue de détecter un éventuel cancer de la prostate, ceux qui faisaient régulièrement de l'exercice avaient moins de chances d'être diagnostiqués comme étant atteints de la maladie. Les hommes qui faisaient modérément de l'exercice – équivalant à trois heures ou plus de marche rapide par semaine – étaient par deux tiers moins susceptibles d'avoir un cancer de la prostate que leurs vis-à-vis sédentaires. Parmi les candidats qui ont effectivement été atteints par le cancer, les hommes qui ont affirmé s'adonner à aussi peu qu'une heure de marche par semaine étaient moins susceptibles d'avoir un cancer agressif et à progression rapide. L'exercice régulier est demeuré lié à un risque plus faible de cancer de la prostate, même après que les chercheurs aient considéré un certain nombre d'autres variables – incluant l'âge, le poids, la race et la présence d'autres conditions médicales, quelles qu'elles soient.

En clair, il n'y a aucune garantie selon laquelle l'exercice pourrait prévenir le cancer, les maladies cardiaques ou l'accident vasculaire cérébral. La vie nous offre peu de ces garanties dans n'importe quelle circonstance. Ce qui demeure, néanmoins, est que l'exercice peut influencer de manière substantielle la probabilité que nous soyons affligés de ces maladies. Nous sommes tous des statisticiens inconscients, compilant intuitivement dans nos arrière-pensées nos chances d'être atteints de maux éventuels qui nous préoccupent, tandis que nous vaquons à nos activités quotidiennes. À moins d'avoir une quelconque déficience pathologique, nous savons que lorsque nous choisissons de quitter le flot de la circulation pour doubler la voiture qui nous précède, nos chances de demeurer en parfaite sécurité sont momentanément réduites. De la même manière, nous le savons habituellement lorsque nous mettons davantage notre bien-être personnel à risque, et nous avons alors une sorte de réflexe mental qui nous incite à revenir à un comportement plus sécuritaire. Plus nous aurons de connaissances touchant certaines conséquences défavorables éventuelles et meilleurs deviendrons-nous à faire ces petits calculs intuitifs : nous serons alors mieux équipés pour prendre de bonnes décisions au sujet de notre santé. Ainsi, nous prolongerons notre vie.

La bonne forme physique n'est pas une garantie, mais elle est très largement privilégiée par les experts. C'est le dilemme classique entre destin et choix personnel. Nous pouvons demeurer confiants en la certitude que si nous poursuivons un programme de vie saine caractérisé par le maintien d'une bonne forme physique, nos chances d'éviter les maladies qui menacent notre vie sont en notre faveur. Et si nous ne le faisons pas, nous sombrerons tout simplement, en nous abandonnant aux caprices du hasard.

CHAPITRE 5

EN FORME ET FONCTIONNEL :
MUSCLES ET MOUVEMENT

En tant que culture, nous ressentons depuis longtemps un
certain malaise face à tout ce qui concerne les muscles.
Durant une longue période, avoir des muscles était associé à la classe ouvrière, à ceux qui trimaient dur pour gagner leur
pain. Cela était considéré comme le signe de la réussite ou de
l'ascension sociale, lorsqu'un individu n'avait plus besoin d'être
fort physiquement. Plus récemment, se faire des muscles était
considéré négativement comme une forme de vanité plutôt sus-
pecte. Les culturistes, appartenant à un segment marginal de la
société, étaient perçus comme une curiosité ; ils étaient mal vus
surtout à cause du culte fétichiste rendu à leur forme physique.
Ce n'était tout simplement pas « normal » d'être musclé. Dans
notre monde actuel, nous semblons avoir dépassé les bornes dans
l'autre direction. Les icônes de la culture populaire affichent
souvent une musculature ridicule pour épater la galerie, comme
si ces vedettes essayaient d'imiter les personnages de bandes
dessinées au physique exagéré frisant le grotesque.

Nous ne faisons maintenant que commencer à pleinement apprécier la relation qui existe entre notre structure musculaire et l'éventail complet des possibilités touchant notre santé et notre potentiel de longévité. Il y a trois considérations fondamentales à retenir ici. La première est la force physique, parce que cette force physique est l'antidote à la fragilité. La deuxième est la relation entre muscle et fonction métabolique, notre «moteur de jeunesse». Et la troisième est le rôle d'une masse musculaire maigre comme garantie contre les blessures et les maladies.

LA FORCE PHYSIQUE – L'IMPORTANCE DES MUSCLES

Êtes-vous suffisamment robuste pour vivre jusqu'à 100 ans? La fragilité, ce grand drame du vieillissement, est essentiellement attribuable à une diminution de la force physique généralement associée à la perte de tissu musculaire. Pouvoir maintenir suffisamment de tonus musculaire pour s'acquitter des différentes tâches de la vie quotidienne confortablement et en toute sécurité devrait constituer une exigence minimale pour chacun. Nous parlons ici d'être en mesure de bouger, de lever et pousser des choses, de transporter des objets, de se maintenir en équilibre et d'éviter les accidents.

La sarcopénie, un terme tirant son origine de deux mots grecs signifiant «disparition de la chair», est un phénomène physiologique impliquant la perte graduelle du tissu musculaire maigre associée avec le vieillissement. Il y a quelques décennies à peine, cette condition n'avait pas encore de nom, mais avec l'augmentation constante d'une population vieillissante, le terme est en voie de devenir bientôt tout aussi populaire que le mot ostéoporose. Responsable de dépouiller à la fois les femmes et les hommes de leur force physique, de leur santé, de leur mobilité et de leur autonomie personnelle dans les dernières années de leur vie, la sarcopénie constitue un problème de santé important au niveau global et elle s'avère une des menaces les plus sérieuses à l'autonomie personnelle, à mesure que les gens avancent en âge. Sa présence se faisant sentir principalement chez les personnes physiquement inactives, la sarcopénie entraîne ses effets débilitants d'une manière lente et à peine perceptible sur une période de plusieurs décennies.

La perte de masse musculaire commence vers l'âge de 30 ans à un rythme d'environ 10 pour cent par décennie, augmentant à 15 pour cent par décennie, une fois que les gens ont atteint la soixantaine et la septantaine, pour passer à 30 pour cent dans les décennies subséquentes. Ce processus insidieux, lorsqu'on lui laisse libre cours, dépouille les gens de leur santé fonctionnelle et de leur mobilité, les orientant davantage vers des modes de vie malsains et inactifs. Ce cercle vicieux se poursuit alors, avec des risques accrus d'autres maladies associées à l'inactivité.

À nouveau, cela nous ramène au syndrome de la désuétude et nous découvrons que les choses ne sont pas comme elles paraissent.

Plusieurs études ont démontré que la perte musculaire est attribuable au fait que les personnes plus âgées semblent moins capables de transformer les aliments en tissu musculaire. Cela a beaucoup à voir avec la production d'insuline, qui ralentit l'affaiblissement des tissus musculaires après la consommation d'aliments. Des tests effectués auprès de sujets à l'université de Nottingham ont démontré que les sujets plus jeunes ont réagi à des injections directes d'insuline dans les muscles de la jambe, tandis que les sujets plus vieux ne l'ont pas fait. Un examen plus en profondeur a révélé une correspondance directe avec le flux sanguin vers les muscles. Plus précisément, le groupe plus âgé a affiché un niveau de flux sanguin beaucoup plus faible vers les régions affectées. Pour faire suite à cette étude initiale, le groupe plus âgé a entrepris un régime d'exercice avec haltères, trois fois par semaine, sur une période de 20 semaines. À la fin de la période, les sujets avaient complètement renversé les effets de perte et ils avaient rétabli le flux sanguin vers les jambes au même niveau que les candidats du groupe plus jeune!

Une investigation similaire a été menée par des chercheurs de l'*University of Texas Medical Branch,* située à Galveston. Ils ont procédé à des injections d'acides aminés (l'insuline envoie habituellement des acides aminés dans les muscles pour les aider à récupérer après l'exercice et à maintenir leur taille) chez deux groupes d'hommes, un premier ayant un âge moyen de 28 ans, et un second ayant un âge moyen de 70 ans, pour ensuite mesurer le niveau de ralentissement musculaire. Ils ont découvert que la panne musculaire obéissait au même schéma dans les deux groupes, ou que la capacité du tissu musculaire lui-même n'était pas différente. Ils ont conclu que les modes altérés d'exercice et d'alimentation chez les sujets plus âgés étaient responsables pour la panne musculaire, et non pas l'âge de leur tissu musculaire.

C'est là une découverte des plus significatives que le tissu musculaire ait la capacité de continuer à réagir et de se régénérer plus ou moins indéfiniment à mesure que nous vieillissons. À la *Tufts University*, un groupe de personnes fragiles et vieillissantes a été soumis à un programme d'entraînement avec haltères au cours duquel, lors de chaque exercice, elles devaient accomplir huit répétitions de chaque routine, avec un haltère représentant 80 pour cent du poids qu'elles arrivaient à lever une fois. Ces sessions ont été répétées trois fois par semaine. En moyenne, les sujets ont amélioré leur force physique au rythme de 5 pour cent par jour d'entraînement, une performance remarquable et un témoignage clair de notre inhérente élasticité. Un certain nombre d'autres études de recherche ont démontré que des personnes âgées non entraînées pouvaient faire l'expérience de gains substantiels de tonus musculaire, après aussi peu que deux semaines d'entraînement modéré aux haltères.

Tout cela constitue une excellente nouvelle, bien sûr, pour ceux qui se trouvent dans la catégorie des individus d'âge moyen et plus et qui n'ont pas été systématiquement actifs jusqu'ici. Mais cela devrait servir également d'avertissement à ceux qui se trouvent dans la première moitié de leurs années. La leçon est bien simple : façonnez-vous un corps en santé et développez votre force physique très tôt dans la vie, puis maintenez tout simplement ces acquis. Il est beaucoup plus facile de maintenir tout cela que de le rétablir, une fois que vous êtes devenu un aîné. Il n'est jamais trop tôt pour commencer. En fait, une étude menée par la *South Dakota State University* a conclu que les enfants qui affichaient un niveau plus élevé de masse musculaire maigre avaient également une ossature plus solide et de meilleures performances générales en termes de croissance.

LE COMMENT...

De nos jours, les gyms et clubs d'entraînement abondent. Les gyms sont pratiques, c'est certain, mais si vous ne pouvez pas en trouver un qui vous convienne, ça ne devrait pas être une raison d'éviter de vous adonner à un régime d'exercice. Pour vous entraîner à un niveau qui vous permettra de conserver votre robustesse, de demeurer actif et éternellement plein d'énergie, cela n'exige rien d'héroïque. Procédons tout simplement en répondant aux questions les plus évidentes.

Combien de temps devrais-je consacrer à l'entraînement pour arriver à développer une certaine résistance ?

De 30 à 40 minutes, trois fois par semaine, constitue une période suffisante pour faire tout ce que vous espérez accomplir, à moins que vous ayez des ambitions olympiques.

À quels exercices devrais-je m'adonner ?

Réfléchissez à chacun de vos groupes musculaires majeurs. Dans chacun d'eux se trouve un principe d'opposition. Pour chaque muscle qui pousse, il y a un muscle qui tire et tout programme d'entraînement devrait tenir compte de chacun. Pensez en termes de bras, d'épaule, de poitrine, de dos, d'abdominaux, de jambes. Si vous avez adopté une routine cardiovasculaire incluant la course, la randonnée à pied ou le vélo, il peut s'avérer que vous n'ayez pas besoin de faire travailler vos jambes à l'aide de poids. Toutefois, il est toujours bon de faire travailler vos jambes, ne serait-ce que pour maintenir un certain tonus qui vous permet de savoir objectivement que vous pouvez soutenir un certain niveau de résistance. Voici un exemple d'un programme complet d'exercices que vous pouvez faire en 30 minutes :

- Deux séries de *chest press* [3]
- Une série de flexions du biceps
- Une série de levées latérales
- Deux séries de rameur assis
- Deux séries de tractions à la barre
- Deux séries de crunch [4] abdominaux
- Une série d'extensions dorsales
- Une série de presses de jambe

Ce sont là 12 routines séparées d'exercice. Si quelqu'un optait pour des intervalles de deux minutes et demie, il lui serait possible de compléter l'ensemble en 30 minutes et d'avoir suffisamment de temps pour souffler un peu, prendre quelques gorgées d'eau et même socialiser entre les exercices.

Seulement deux séries ? Je croyais qu'il fallait en faire trois.

Des études récentes ont démontré qu'une personne peut retirer un bénéfice complet de deux séries seulement plutôt que de trois, à condition qu'une quantité suffisante de poids soit utilisée.

Comment savoir quel poids utiliser ?

Nous sommes tous plus robustes que nous avons l'habitude de le croire. Nous devrions nous efforcer d'éviter les blessures, bien sûr, mais nous devrions également utiliser suffisamment de résistance pour maximiser la réaction de nos muscles aux stimuli. Si vous n'avez aucune expérience dans le domaine, ou très peu, vous devriez commencer avec des haltères plutôt légers. Cependant, il est facile de découvrir quel devrait être le poids optimum à employer. Arrivez-vous à faire 15 répétitions (reps en langage de gym) avec le poids que vous avez choisi pour un exercice spécifique ? Alors cet haltère est trop léger. Idéalement, vous devriez utiliser un poids avec lequel vous arrivez à faire 8 à 10 reps, les reps restants exigeant davantage d'effort et de concentration. Si l'exercice est trop facile, c'est un moyen pour votre corps de vous dire d'ajouter plus de poids, qu'il n'est pas satisfait de votre performance à ce point-ci.

Une fois que vous arrivez à faire plus de dix reps facilement, il est alors temps d'ajouter un supplément de poids de manière incrémentielle. Si vous faites preuve de ténacité, vous découvrirez avec le temps que votre capacité d'ajouter un poids supplémentaire commence à diminuer. Nous avons tous nos limites naturelles selon le type de corps que nous avons, notre taille et notre ADN. Une fois que nous nous approchons de ces limites, le reste demeure une question de maintien. Et comme nous l'avons démontré, il y a de plus en plus d'évidences selon lesquelles il est possible à quelqu'un de maintenir un niveau de force quasi totale indéfiniment.

Que faire si je n'ai pas accès à un gym et que je ne peux avoir d'haltères à la maison ?

Il vous faut faire preuve de créativité. Utilisez ce que vous avez sous la main. Chaque série d'exercices mentionnée précédemment peut être accomplie à l'aide d'un tube chirurgical de 2 mètres de long, attaché à une poignée de porte ou à quelque autre endroit solide dans la maison.

N'y a-t-il pas des différences significatives entres les hommes et les femmes pour ce qui a trait à l'entraînement et à la levée de poids ? Devrait-il y avoir des recommandations spécifiques pour les femmes ?

Oui, il y a de telles différences liées au sexe des personnes, mais elles ne sont pas vraiment significatives. La testostérone joue un rôle dans le développement des muscles et de la force physique. En moyenne, les femmes ont environ 10 pour cent du niveau de testostérone des hommes. Ce que cela signifie est que la plupart des femmes ne réussiront pas à obtenir la masse musculaire des culturistes mâles, quel que soit leur niveau d'entraînement aux haltères. Cette exception n'est pas un enjeu. En général, les femmes sont connues pour avoir environ de 40 à 60 pour cent de la force des hommes dans le haut du corps, et de 70 à 75 pour cent de leur force dans le bas du corps, principalement à cause du fait que les hommes sont en moyenne plus costauds que les femmes et qu'ils ont une charpente plus large pour soutenir leur plus grande masse musculaire. Ce qui est vraiment important, du point de vue de la santé et de la longévité, c'est la proportion de masse musculaire maigre par rapport au poids global du corps. Et de ce point de vue, sur la base de la force reliée à la masse musculaire maigre, les femmes sont égales aux hommes. Les recommandations touchant les techniques d'entraînement devraient donc s'appliquer également aux hommes et aux femmes.

Qu'en est-il du danger de perdre ma flexibilité à mesure que je gagne du muscle ?

En réalité, il y a plutôt de bonnes chances que vous gagniez davantage de flexibilité en faisant des exercices à l'aide d'haltères plutôt que d'en perdre, surtout si vous suivez une routine qui implique tous les groupes de muscles majeurs, tel que décrit précédemment. Le danger réel est qu'à mesure que nous avançons en âge, nous avons tendance à nous limiter à certains types de mouvements efficaces et à opter alors pour des modes limités et restrictifs. Cela entraîne des limitations que nous nous imposons avec le temps quant à nos possibilités de mouvement. Il en résulte une atrophie des petits muscles de soutien, forçant les autres systèmes à prendre la relève de leurs fonctions naturelles. Les conséquences peuvent inclure la douleur chronique, les problèmes d'articulation et un large ensemble des symptômes associés au vieillissement.

LE RÉGLAGE DE NOTRE MOTEUR MÉTABOLIQUE PAR LA MASSE MUSCULAIRE MAIGRE

Le métabolisme se mesure en calories, une unité fondamentale de chaleur. C'est une mesure indiquant la somme d'énergie dépensée en vue du maintien des différentes fonctions de notre corps. Notre organisme est composé à la fois de tissu musculaire et de tissu adipeux, les deux ayant un rôle à jouer dans notre cycle métabolique. Lorsque nous sommes au repos, nos fonctions internes opèrent à un rythme de base, ce qui est appelé métabolisme au repos. Bien qu'on affirme souvent que la matière grasse constitue simplement un «poids mort» sans valeur métabolique, cela n'est pas entièrement vrai. La matière grasse génère effectivement une activité métabolique, bien qu'elle le fasse à un niveau beaucoup plus faible que le muscle. Il est estimé que le niveau de base du métabolisme du tissu adipeux est d'environ quatre calories par kilo. Le tissu musculaire, d'un autre côté, consume entre six et dix calories au repos et beaucoup plus durant l'activité.

La logique est simple et incontournable. Même si nous n'avons aucune idée de la biochimie impliquée dans le processus, nous sommes tous fondamentalement conscients de notre métabolisme, parce que nous faisons l'expérience de l'énergie déployée pour le soutenir au quotidien par le biais de nos sens et nous y faisons parfois allusion avec désinvolture comme à quelque chose que nous avons tendance à associer d'une manière positive à la jeunesse. Ce que trop de gens n'ont pas compris ou perçu est que leur métabolisme n'est pas préprogrammé ; il est dirigé, dans une large mesure, par les signaux énergétiques que nous déclenchons par nos modes de comportements.

L'obésité est un prédateur de métabolisme. Le lien étroit qui existe entre notre métabolisme et le large réseau des fonctions corporelles nous fournit des indices qui nous aident à comprendre pourquoi l'obésité est associée avec un si grand nombre de problèmes de santé de nos jours. Cela souligne encore plus l'importance d'un entretien métabolique approprié. Une retombée directe importante de l'augmentation de la masse musculaire est qu'une telle augmentation de la fonction métabolique consumera davantage de matière grasse. L'aptitude de la masse musculaire maigre à provoquer une augmentation de la capacité de l'organisme de consumer la matière grasse est la raison pour laquelle les hommes, qui ont habituellement une plus grande masse musculaire que les femmes, ont tendance à gagner du poids plus lentement et à en perdre plus rapidement que les femmes.

Nous avons déjà établi le fait que le tissu musculaire peut être remplacé indéfiniment. De la même manière, nous savons que notre métabolisme peut être affecté indéfiniment par le maintien d'une masse musculaire maigre adéquate, indépendamment de notre âge. Dans l'étude menée à la *Tufts University* mentionnée précédemment, un groupe d'hommes et de femmes se sont soumis à un entraînement, à raison de trois jours par semaine, visant à augmenter leur niveau de force musculaire, avec des résultats impressionnants en termes d'amélioration du tonus musculaire. Leur rythme métabolique a connu une amélioration à peu près égale. En moyenne, les sujets ont amélioré leur métabolisme de 15 pour cent, ce qui leur a permis de consumer de 200 à 300 calories supplémentaires au quotidien par rapport à leur niveau précédent.

Un mot touchant l'alimentation : consommer un repas riche en glucides et en protéines moins de trente minutes après avoir terminé une période d'entraînement élève les niveaux d'insuline, augmente l'absorption des acides aminés par les muscles et accélère le processus de récupération. Les glucides provoquent une hausse rapide de glycémie, laquelle stimule le pancréas à libérer de l'insuline. L'insuline transporte les blocs de construction des protéines (acides aminés) présentes dans les aliments jusqu'aux cellules des muscles en vue d'accélérer le processus de récupération après une période intense d'entraînement. Les muscles sont extraordinairement sensibles à l'insuline durant l'exercice et pour une période ne dépassant pas 30 minutes après la fin de l'exercice. C'est pourquoi la manière la plus rapide de récupérer est de consommer des aliments riches en protéines et en glucides peu de temps après la période d'exercice.

LES MUSCLES – UN SYSTÈME DE DÉFENSE IMPORTANT CONTRE LES MALADIES ET LES BLESSURES

Prendre soin de nos muscles est une forme d'investissement qui nous procurera de précieux dividendes, année après année. Un avantage supplémentaire est la manière dont notre musculature peut nous éviter des blessures handicapantes et nous fournir un système de défense significatif contre un large éventail de maladies.

Ostéoporose

La perte de densité osseuse, particulièrement chez les femmes âgées, constitue jusqu'à présent un facteur majeur de préoccupation en termes d'enjeu de santé. Les fractures de la hanche constituent les complications les plus sérieuses et les plus fréquentes de l'ostéoporose. Aux États-Unis, il y a près d'un demi million de cas de fractures de la hanche, chaque année, parmi les gens qui ont plus de 65 ans. La plupart de ces blessures résultent de chutes éventuelles ; la majorité de ces accidents auraient eu peu de chance de se produire si les individus en question avaient maintenu un niveau de tonus musculaire adéquat. Environ une personne souffrant d'une fracture de la hanche sur cinq meurt dans les douze mois qui suivent, des séquelles de cet accident. Le quart de ceux qui avaient vécu précédemment d'une manière autonome, ont dû être placés dans des maisons de retraite après leur accident.

Une étude visant à déterminer le rapport qui existe entre l'âge et le déclin dans la perte de la densité minérale osseuse, a pris en compte l'importance relative de la force musculaire, de la forme physique et de l'index de masse musculaire (IMM), en plus de l'âge des individus, en vue de déterminer la densité de l'os fémoral chez 73 volontaires de sexe féminin en bonne santé, dont l'âge variait entre 20 et 75 ans. Le tonus musculaire s'est avéré être le facteur de corrélation déterminant avec la densité osseuse. La forme physique a été également associée à une augmentation de la densité osseuse. Toutefois, l'âge, en tant que facteur indépendant, ne l'a pas été ! L'âge s'est révélé être un indicateur d'ostéoporose, uniquement dans la mesure où les effets de l'âge étaient aggravés par des déficiences au niveau de la force musculaire, de la forme physique ou du poids.

Cancer

La masse musculaire maigre peut procurer, même aux personnes obèses, un avantage dans la lutte contre le cancer, tel que démontré dans une étude menée à l'université de l'Alberta. L'étude a indiqué que la composition corporelle des patients atteints de cancer joue un rôle dans le niveau de survie, le niveau d'activité durant la maladie, et jusqu'à une certaine mesure, dans les réactions aux traitements de chimiothérapie. Les tomodensitogrammes (TACO) de 250 patients obèses atteints de cancer ont été examinés dans cette étude, en vue de déterminer le niveau de masse musculaire maigre de ces derniers. Les patients qui affichaient une obésité sarcopénique – une diminution de masse musculaire maigre associée avec une obésité invalidante – ont eu un niveau de mortalité plus élevé que les patients qui avaient une masse musculaire plus normale. Ils avaient également tendance à garder le lit davantage et à présenter une perte plus importante de leurs fonctions physiques.

Ces données soulignent de plus en plus clairement que la composition corporelle doit être prise en considération lorsque l'on fait l'évaluation des patients en général. La masse musculaire maigre devrait être prise en compte pour évaluer la manière dont les patients peuvent réagir à la chimiothérapie, aux dosages de médicaments et aux stratégies thérapeutiques.

Bien-être psychologique

Il faut considérer aussi les éléments intangibles, si importants. Le vieillissement, aimons-nous dire, est une prophétie qui s'accomplit d'elle-même. La valeur attitudinale liée au fait d'augmenter son tonus musculaire à un moment où nous avons été conditionnés à nous attendre à un certain déclin est inestimable.

Un grand nombre d'études suggèrent que les femmes engagées dans un programme d'exercices visant à augmenter le tonus musculaire jouissent d'une réelle augmentation d'estime de soi. Les athlètes féminines semblent capables de maintenir un certain équilibre entre force physique et féminité; selon une étude, 94 pour cent des participantes ont reconnu que l'entraînement physique ou l'implication dans une discipline athlétique ne les amenait pas à se sentir moins féminines. L'entraînement visant à améliorer le tonus musculaire est également largement associé au fait de donner aux femmes un sentiment de pouvoir personnel, tout spécialement parmi les femmes qui ont précédemment été victimes de formes d'abus. Les femmes postménopausées tireront également profit du sentiment d'autonomie personnelle que leur procure cette nouvelle force physique tout en leur offrant une protection contre la double némésis de la fragilité et de l'ostéoporose.

La valeur d'une force accrue et de muscles que l'on peut voir, chez les hommes vieillissants, est évidente. C'est une confirmation des attentes culturelles d'une saine masculinité et une réfutation symbolique du déclin, ayant des conséquences éminemment pratiques. Le fait de gagner en force va de pair avec une énergie croissante. C'est un cycle de rétroaction positive qui rend les stratégies additionnelles, visant la santé, encore plus désirables et accessibles.

Que l'on soit un homme ou une femme, la valeur psychologique de se *sentir fort* peut s'avérer un précieux don. Pouvoir vivre une journée entière sans se sentir physiquement vulnérable, jouir de l'autonomie personnelle de savoir que l'on peut réellement faire face à tous les défis physiques qui se présentent à nous, est extrêmement satisfaisant et c'est là un puissant stimulant sur le plan psychologique.

UN ENGAGEMENT À ÊTRE ROBUSTE
UNE PERSPECTIVE PERSONNELLE

par Randall Stickrod

Lorsque j'étais enfant, un de mes souvenirs marquants a été le sentiment d'être un garçon de petite taille tout maigrichon avec des lunettes, un rat de bibliothèque pacifique, grandissant au milieu de jeunes ruraux plutôt durs, et vivant dans la terreur quotidienne d'être tabassé. La notion de force physique comme moyen d'assurer éventuellement ma propre sécurité a sûrement été un facteur déterminant dans ma prise de conscience du rôle que jouent la bonne forme, la robustesse et la capacité physique, dès mon jeune âge.

J'ai commencé à soulever des haltères (de même qu'à m'adonner au dur labeur physique) durant l'adolescence et j'ai développé une sorte de dépendance à cet égard. À la fin de mes études secondaires, je n'étais plus du tout ce garçon maigrelet terrorisé par des brutes. Le fait de grandir dans l'Ouest des États-Unis m'a également communiqué une réelle passion pour le plein air ; j'ai développé une relation intime avec la montagne et le ruisseau, et j'ai toujours adoré me promener dans la nature, faire de l'escalade et me baigner, et jouir pleinement du monde physique avec enthousiasme et assurance. L'idée de développer ma force musculaire me semblait le meilleur moyen de me préparer à faire face à toutes sortes d'éventualités dans la vie, autant les opportunités (activités de loisir) que les adversités (être en mesure de réagir adéquatement devant les situations menaçantes). Et c'est ce qui s'est produit.

Comme les recherches du Dr Bortz l'ont démontré, nous faisons l'expérience d'un réel déclin naturel avec l'âge à tous les niveaux et la force physique ne fait pas exception. Toutefois,

j'ai découvert que quoique je sois maintenant dans la soixantaine, je suis en mesure d'accomplir tout ce que je faisais, il y
a 20, 30 ou 40 ans. Je demeure tout aussi robuste que jamais,
un fait que j'attribue à deux choses : constance et attitude. La
constance veut dire garder en priorité l'entraînement à la résistance, quoi qu'il arrive. Elle signifie que je dois trouver le moyen
de faire de l'exercice, quelle que soit la situation. De 30 à 40
minutes, chaque deux jours, constitue un minimum, même si cela
peut s'avérer difficile. Pensez à tous les choix que nous faisons,
au cours d'une journée typique, sur la manière de dépenser la
prochaine heure ou deux. Quelles sont les émissions de télé dont
nous pourrions nous passer ? Quelle période du lunch pourrait
être utilisée à meilleur profit au gym ? Quel déplacement pour
faire des courses pourrait également inclure un bref arrêt au
gym ?

L'*attitude* implique le refus systématique de courber l'échine
devant Mère Nature. J'ai débuté chaque période d'entraînement,
ces nombreuses dernières années, sans jamais m'attendre à faire
moins que ce que j'avais accompli la fois précédente. Aujour-
d'hui, la prophétie se réalise d'elle-même : je suis parvenu à
maintenir le même niveau de robustesse (ou meilleur encore !)
que celui de mes 20 ans.

Voici quelques observations en vrac :

• À un certain moment, au cours de la trentaine, j'ai compris
  que ma forme physique était une priorité suprême et qu'elle
  exigeait un réel engagement de ma part. Je n'ai jamais regretté
  de l'avoir fait. Ce fut l'engagement le plus facile que j'aie
  jamais pris.

• Durant nombre d'années, je voyageais constamment et j'ai
  dû apprendre à faire preuve de créativité. J'avais l'habitude
  d'emporter un long tube chirurgical dans mes valises, pour

mes périodes d'entraînement dans ma chambre d'hôtel. C'est incroyable ce que j'arrivais à faire avec ce tube en nouant simplement une de ses extrémités à une poignée de porte, à titre d'exemple.

• Le fait de vivre pendant plusieurs années à San Francisco, où il semble y avoir continuellement des échafaudages devant les édifices, m'a permis de me fixer une nouvelle règle : *ne jamais rater une occasion de faire des étirements.* Lorsque je passais devant un échafaudage, j'avais l'habitude d'arrêter et d'attraper la barre la plus haute possible pour exécuter ensuite quelques tractions, un des meilleurs exercices qui soient.

• Ceci pourra vous sembler une hérésie, mais je m'ennuie à mourir dans un gym et j'ai appris à exécuter ma série d'exercices le plus rapidement possible ; j'y consacre rarement plus de 30 à 40 minutes, parfois moins. Le truc est de s'acquitter de la tâche rapidement et avec intensité. Amenez votre corps à travailler fort. Découvrez vos limites naturelles et travaillez le plus possible à les dépasser, sans vous exposer à des blessures. Lorsque vous utilisez des haltères, choisissez un poids avec lequel vous pouvez exécuter dix répétitions, mais avec lequel il vous faut déployer un réel effort pour compléter les deux dernières. Faites-vous la vie dure, un peu. Vous serez sans doute étonné de découvrir comment votre corps réagit à cette demande d'effort accru, une première leçon capitale sur la plasticité phénotypique.

• Une fois que vous avez adopté une routine quelconque, apportez-y des modifications à l'occasion. Utilisez un appareil que vous n'avez jamais employé jusqu'ici. Examinez ce que font les autres autour de vous. Soyez toujours prêt à apprendre quelque chose de nouveau. Surprenez votre corps, à l'occasion.

- Les moments où vous n'avez pas vraiment envie de vous entraîner sont souvent le meilleur temps de le faire. La chose la plus facile au monde est de trouver un tas de raisons de ne pas vous entraîner. Vous vous sentez fatigué. Vous n'êtes pas bien. Vous avez l'impression de couvrir une grippe. De telles raisons abondent! Mais une fois que vous aurez choisi de vous élancer et que vous vous y mettrez, vous vous sentirez toujours mieux après. Vous serez content d'y être allé. C'est là la règle d'or irréfutable de l'entraînement – quelle que soit la manière dont vous vous sentiez en entrant au gym, vous serez *toujours* content de l'avoir fait après coup. Combien de choses dans la vie peuvent vous offrir une telle garantie?

- En terminant, voici sans doute le conseil le plus important de tous: ne vous préoccupez pas de votre image. Ne vous sentez jamais en compétition avec quelqu'un. Personne d'autre ne s'intéresse vraiment à ce que vous êtes en train de faire. La seule personne avec laquelle vous comparer est vous-même. Soyez fier de vous pour vous être rendu au gym et vous être engagé à vous astreindre à une séance d'entraînement, même lorsque vous vous sentiez bizarre et préoccupé de votre image, ou encore des poids que vous utilisiez. Tout le monde s'en fiche éperdument, je vous l'assure!

CHAPITRE 6

L'ENGAGEMENT : LA NÉCESSITÉ
D'ÊTRE NÉCESSAIRE

L a probabilité de vivre jusqu'à 100 ans en conservant vos capacités jusqu'à la fin est étonnamment bonne, comme nous l'avons vu, si vous choisissez un mode de vie actif. En d'autres mots, si vous maintenez systématiquement une bonne forme aérobique et vous vous efforcez de conserver une masse musculaire maigre suffisante. Les preuves à cet effet sont incontestables. Cependant, nous savons bien, en tant qu'êtres sensés, que notre vie exige beaucoup plus que de simplement gérer nos besoins métaboliques.

Un facteur intangible défie toute quantification mais constitue une partie cruciale de ce que nous sommes et comment nous vivons notre vie. Mme Calment, qui a vécu 120 ans, a fait les manchettes en déclarant qu'elle était animée d'une véritable « passion de vivre ». Sans raison de vivre, pourquoi le faire, serait-on porté à demander ? Notre forte volonté de vivre est l'une des choses qui nous distingue en tant qu'êtres uniques, une marque de notre individualité.

Une variété d'études impliquant des centenaires ont permis de conclure que, mise à part la santé physique, les caractéristiques intangibles qui ressortaient le plus étaient l'optimisme, l'espoir, la capacité de composer avec la perte et l'engagement. L'engagement est l'expression de notre raison d'être. C'est dans notre nature de chercher quel est le but de notre existence. En tant qu'auteurs, nous sommes persuadés que l'engagement sous-tend tous les autres facteurs intangibles ; il nous permet de trouver notre joie dans le fait de vivre le plus longtemps possible.

Nous apprenons beaucoup lorsque nous faisons l'expérience d'un manque d'engagement. D'un côté, nous savons que la perte sensorielle est funeste. La stimulation des expériences ordinaires quotidiennes est essentielle à notre équilibre. Les gens qui vivent isolés prospèrent rarement. À mesure que nous avançons dans la vie, nous jouissons tous d'un « noyau social » d'amis, de membres de la famille et d'associés qui font route avec nous. Dans les dernières années de leur vie, nombre de personnes laissent tout simplement ce réseau s'étioler à l'usure, entraînant avec cela la perte d'une bonne part du milieu énergétique qui les soutenait. Dans des études analysant les processus sociaux, émotionnels et cognitifs qui accompagnent le vieillissement, le Dr Laura Carstensen de l'université de Stanford a découvert de manière répétée qu'à mesure qu'un individu commence à anticiper consciemment la mort, il tend à se désengager socialement.

L'engagement vient en plusieurs saveurs différentes. Essentiellement, il implique une participation volontaire à des facteurs extérieurs à soi. Ces derniers peuvent être un conjoint ou un partenaire, ou encore la famille. Ils peuvent être des amis ou une communauté quelconque. Le plus souvent de nos jours, ils impliquent le contexte du travail ou d'une carrière. Parfois, ils prennent la forme d'une quête créatrice. À l'occasion, ils peuvent être une combinaison d'éléments mentionnés.

Chaque centenaire a sa propre histoire. On note souvent de grandes différences de style de vie, d'alimentation et de type d'activités dans lesquels chacun se trouve engagé, sans oublier les circonstances socioéconomiques. Toutefois, la seule chose que tous les centenaires aient en commun est un clair et souvent irrésistible sentiment d'engagement. C'est là que se trouve non seulement le secret de la longévité, mais également la richesse de l'expérience humaine, le fondement même de notre humanité.

Presque tous les centenaires jouissent de plusieurs relations interpersonnelles significatives. Ils ne sont presque jamais des solitaires, et les exemples abondent. Pour illustrer, un des sujets de l'étude menée par la *New England Centenarian Study,* William Cohen, qui affichait 101 ans lors du dernier rapport, considérait l'autonomie personnelle comme étant importante pour sa longévité, mais il a compris également que la proximité des membres de sa famille était tout aussi importante. «L'objectif, lorsque vous êtes plus vieux, est de garder la famille à proximité, a-t-il déclaré, de jouir d'une autonomie personnelle, mais de les avoir tout près pour qu'ils puissent aider. En vieillissant, on a plus besoin des gens que de dollars et de petite monnaie.» Cela aide de posséder des habiletés de réceptivité sociale. Une étude japonaise a observé la vie de 70 centenaires japonais, cognitivement intacts, et âgés entre 100 et 106 ans, de même qu'un groupe plus large de personnes âgées entre 60 et 84 ans, tous résidents de Tokyo. Une enquête a été effectuée pour mesurer cinq traits majeurs de personnalité: neurotiscisme, extroversion, ouverture, gentillesse et intégrité personnelle (conscience). Les résultats ont démontré une plus grande ouverture chez les centenaires masculins et féminins, de même qu'un niveau plus élevé d'intégrité et d'extroversion chez les femmes centenaires, lorsque comparés aux caractéristiques du groupe plus jeune. Ces résultats suggèrent que des scores élevés d'intégrité, d'extraversion et d'ouverture sont associés avec la longévité. Pour le dire plus simplement, une personnalité extravertie jouit davantage d'opportunités d'engagement social et d'un environnement psychologique plus riche. Cela permet également de conclure que de tels traits de caractère contribuent à la longévité par le biais de comportements axés sur la santé, sur la réduction du stress et sur l'adaptation aux défis reliés à un vieillissement prolongé.

Il existe une corrélation bien connue entre l'isolement social et le suicide, ainsi que les comportements sociopathes. Le type de désespoir qui conduit généralement quelqu'un à ne plus accorder de valeur à sa vie est habituellement cultivé dans l'isolement : le fait de rétrécir notre champ de vision à nous-même nous prive des dynamiques constructives de l'interaction avec autrui. Nous sommes des créatures sociales par nature et nous tirons nos énergies vitales de nos interactions avec les autres personnes. Ceci me semble similaire à ce qui se passe au niveau des cellules, pour ce qui touche leurs besoins énergétiques : les fonctions cellulaires sont dirigées par des échanges d'énergie se déroulant dans l'environnement cellulaire. L'énergie est la vie.

Notre point de référence pour la longévité – Mme Calment – nous fournit un fantastique exemple de quelqu'un qui participait activement et avec beaucoup d'enthousiasme à cet échange social d'énergie. Elle était extrêmement sociable et se vantait d'avoir bon appétit, autant pour la nourriture que pour les autres choses. Elle aimait bien le porto et le chocolat (et une cigarette à l'occasion), et appréciait les rapports sociaux. Elle enfourchait encore son vélo à 100 ans, mais le plus éloquent est qu'elle disait : « Je ne sens jamais l'ennui. » Sa vie constituait un modèle d'échange d'énergie avec autrui. Elle était pleinement engagée.

Les études de cas impliquant des centenaires se concentrent invariablement sur la dimension de l'engagement, qu'il soit social (incluant la famille) ou professionnel, incluant l'engagement créatif. L'artiste mondialement connue sous le nom de Grandma Moses, a commencé à peindre des scènes rurales pour son plaisir vers la fin de ses soixante-dix ans, bien qu'elle n'ait eu aucune formation préalable. Elle continuait à peindre presque tous les jours, même à 100 ans et elle a produit au moins 25 œuvres originales après son centième anniversaire, démontrant ainsi la puissance d'un engagement créatif. Le peintre, Pablo Picasso, fut un exemple d'engagement créatif durant le cycle entier de sa vie ; peut-être aurait-il pu continuer bien au-delà de ses 92 ans s'il avait conservé une meilleure forme physique.

George Dawson, le petit-fils d'un esclave, a travaillé durant toute sa vie et à l'âge de 98 ans, il a conclu qu'il en avait marre de signer son nom avec la lettre X. C'est pourquoi il a décidé d'apprendre à lire et à écrire. À l'âge de 102 ans, il a fait le récit de sa vie dans un livre qu'il a coécrit, *Life Is So Good,* et il a obtenu son diplôme d'études générales à l'âge de 103 ans.

Fred Sheill dirige une ferme de dix acres consacrée à la culture des lys dans le secteur d'Au Gres, au Michigan, à l'âge de 100 ans. Il poursuit ainsi une passion pour l'agriculture à petite échelle qui a débuté quand il avait 12 ans. Avec l'aide d'un troupeau d'oies, dressées pour avaler les insectes et les mauvaises herbes, il consacre sa journée entière à travailler, produisant environ 500 000 lys par année. Une journée typique inclut conduire le tracteur pour répandre le compost sur ses cultures, passer du temps à discuter avec les clients et se promener ici et là pour distribuer des dépliants publicitaires pour ses fleurs. Il se vante de « toujours être en train de concevoir des projets pour l'année qui vient ».

L'avocat Jack Borden, âgé de 101 ans, de Weatherford, au Texas, continue de pratiquer le droit, étant spécialisé en droit immobilier et en droit de succession ; il lui arrive de travailler sur un mandat avec un client de la cinquième génération. À 101 ans, il travaille 40 heures semaine. Le fait de se rendre au travail et de côtoyer les gens le « garde en vie », selon ses dires. « Je compte bien continuer à travailler ainsi, et un jour, ils vont me trouver ici, la tête reposant sur mon bureau. »

L'engagement est fortement associé à l'indépendance fonctionnelle ou l'autonomie personnelle. La *Landmark New England Centenarian Study,* qui a débuté en 1994, est une recherche en expansion, suivie et approfondie, d'études de cas de centenaires ; dans cette recherche, on a porté une attention spéciale à la capacité des personnes âgées de se débrouiller seules et de réussir à maintenir un style de vie autonome. Les chercheurs ont découvert que 90 pour cent des centenaires étudiés avaient été fonctionnellement autonomes durant la majorité de leur vie jusqu'à l'âge de 92 ans, en moyenne, et que 75 pour cent d'entre eux jouissaient toujours de la même autonomie, à l'âge de 95 ans. Cette autonomie personnelle était fortement reliée aux liens sociaux rigoureusement maintenus, incluant ceux avec la famille. Les contacts sociaux étaient juste assez loin pour que les sujets puissent vivre de manière autonome, mais juste assez près pour qu'ils puissent maintenir un lien intime et faire partie d'un système naturel de soutien mutuel.

Le Dr Will Miles Clark, âgé de 105 ans, de Tucson, en Arizona, est un dentiste à la retraite, dont la femme, Lois, est également centenaire. À 105 ans, il continue de conduire sa Toyota Sienna, joue régulièrement au golf et est un boulimique de lecture, affirmant avoir toujours un livre à portée de main. Lois joue au bridge, un passe-temps qui est lié de façon croissante à un vieillissement réussi. Le Dr Clark a fait l'achat de son premier ordinateur en 2009, a pris quelques cours et est maintenant en mesure d'effectuer les réservations de leurs prochains séjours de vacances en ligne.

Elsa Hoffman, âgée de 102 ans, de Hillsboro Beach, en Floride, a une vie sociale que les gens de tous âges pourraient envier. Elle joue au bridge et au gin-rummy, sort régulièrement pour manger au restaurant et prendre un verre, et elle est connue dans son cercle social comme une éternelle optimiste. Son « secret » est qu'elle adore « rendre les gens heureux ». « Je vis chaque jour dans la gratitude d'être toujours là et de pouvoir me rendre utile. » Elle joue au golf depuis toujours et après une opération au genou, à l'âge de 86 ans, elle est retournée sur le vert pour y jouer la meilleure partie de golf de sa vie. Elle s'est toujours préoccupée de son alimentation, mettant l'accent sur la consommation de fruits et évitant les aliments frits. Et, ce qui est plus éloquent, elle a le sentiment d'être presque aussi active à 102 ans qu'elle l'a toujours été.

Une étude à long terme impliquant près de 4 000 Américains d'origine japonaise vivant à Honolulu, Hawaii, visait à trouver un lien entre l'engagement social et la démence, à mesure que les patients avançaient en âge. Mais en premier lieu, les chercheurs ont tenté de déterminer ce que signifiait l'engagement social et comment le mesurer. Pour ce faire, ils ont choisi cinq mesures : le statut marital, le mode de vie (seul ou avec d'autres), la participation à des activités de groupe (communautaires, sociaux ou politiques), la participation à des événements sociaux avec d'autres (cinéma, danse, etc.) et l'existence d'une relation de confiance ou d'amitié personnelle avec un proche. Un système de scores a été élaboré, chaque sujet pouvant accumuler un score total à partir de ces cinq facteurs. Puis, la façon dont ces niveaux d'engagement ont évolué avec le temps fut par la suite analysée.

Plusieurs faits ont pu être notés. Premièrement, les hommes qui avaient obtenu un score élevé durant toute la période, ont eu le moins d'occurrences de démence, une corrélation sans équivoque. Le fait d'avoir un réseau qui offre de solides liens sociaux, tôt dans la vie, puis de maintenir ce réseau plus tard dans la vie, est un excellent moyen de se protéger contre la démence sous toutes ses formes habituelles. Deuxièmement, les individus dont le niveau d'engagement social a décliné, à partir de l'âge moyen jusque dans la vieillesse, ont eu le risque le plus élevé de démence. Plus grand le déclin, plus grande était la probabilité d'un début de démence.

Une autre observation tirée de l'étude fut que les formes les plus faibles d'engagement, au milieu de la vie, était typiquement relevées chez les participants qui avaient les niveaux inférieurs d'éducation. On entend dire parfois, sans trop de preuves à l'appui, que les gens plus intelligents ont tendance à vivre plus longtemps. Il serait plus juste de dire que les gens instruits vivent plus long-temps, parce qu'ils ont la capacité de faire de meilleurs choix de vie et peut-être ont-ils également plus de raisons de former une variété de liens sociaux qui risquent de transcender la vieillesse.

Nous ne pouvons que partiellement vérifier pourquoi c'est ainsi, mais les données s'avèrent convaincantes. Il y a plusieurs raisons pour lesquelles l'engagement social peut réduire le risque de démence éventuelle. Dans des études chez les animaux (les études permettant d'effectuer ces tests directement sur des humains n'étant pas possibles), les contributions du milieu de vie qui sont à la fois complexes et riches en diversité empêchent le déclin cognitif et favoriseraient même la neurogenèse (la création de nouvelles cellules dans le cerveau). Les chercheurs estiment que l'activité sociale et physique pourrait augmenter la capacité d'un individu de surmonter certaines pathologies du cerveau, parce que l'activité synaptique améliorée favorise le rétablisse-ment et la restauration du cerveau.

Il est également estimé que les expériences sociales peuvent diminuer le risque de démence, en réduisant à la fois les facteurs de risque liés au stress et ceux liés aux maladies cardiovasculaires associées également avec certaines maladies du cerveau. Les hormones, incluant les corticostéroïdes, sont affectées par la réduction de stress associée à l'engagement social, et ces hormones procurent des bienfaits nombreux, incluant une réaction immunitaire rehaussée, un meilleur métabolisme des glucides et un contrôle accru de l'inflammation.

Une recherche, menée par un groupe de scientifiques de Harvard, avait pour objectif de comprendre pourquoi certaines personnes atteintes de maladies chroniques avaient la capacité d'atteindre néanmoins l'âge de 80 ans, voire 90 ans, tandis que d'autres individus, ayant le même profil de santé, avaient succombé des décennies auparavant. Dans des données publiées au mois d'août 1999, dans le *British Medical Journal,* le groupe de recherche a fait part d'une explication des plus surprenantes.

Dans leur étude, incluant près de 3 000 personnes âgées de 65 ans et plus, lesquelles ont été suivies sur une période de 13 ans, les chercheurs ont examiné le niveau de participation dans 14 activités différentes, pouvant inclure autant la natation et la marche rapide, que faire des courses, faire du bénévolat, ainsi que des activités sociales habituelles, telles que jouer aux cartes. Ils ont découvert que les gens qui consacraient régulièrement du temps aux activités sociales – toutes simples comme faire du bénévolat, faire des courses ou se retrouver avec des amis – s'en tiraient aussi bien que ceux qui passaient un temps équivalent à faire de l'exercice. L'engagement social s'est révélé le facteur de longévité déterminant dans ce groupe, plus important encore que l'exercice, la pression sanguine, le niveau de cholestérol et d'autres mesures standards de santé.

Dans une autre étude, une équipe de l'université du Michigan a interviewé et examiné 2 754 adultes sur une période s'échelonnant sur 9 à 12 ans. Les résultats obtenus, publiés dans l'*American Journal of Epidemiology*, ont démontré que les hommes qui jouissaient d'un niveau plus grand de relations sociales – comme aller au cinéma, fréquenter l'église, prendre des cours ou faire des voyages avec des amis ou des parents –, avaient significativement moins de chances de décéder durant la période de l'étude. Les femmes actives socialement ont également bénéficié du même avantage, bien que d'une manière moins déterminante, probablement parce que les femmes avaient déjà de meilleures chances de vivre

Les gens qui consacraient régulièrement du temps aux activités sociales – toutes simples comme faire du bénévolat, faire des courses ou se retrouver avec des amis – s'en tiraient aussi bien que ceux qui passaient un temps équivalent à faire de l'exercice.

plus longtemps que les hommes, étant donné que la durée de vie des femmes est typiquement plus longue que celle des hommes, quelles que soient les circonstances.

Le mariage semble également contribuer des bienfaits importants pour la santé. Des chercheurs de l'Université de Bordeaux, en France, ont indiqué que, parmi les 2 800 volontaires suivis sur une période de cinq ans, les gens mariés se sont révélés comme ayant un tiers moins de chances de développer la maladie d'Alzheimer que ceux qui n'avaient jamais été mariés.

Il y a un grand nombre de raisons pour lesquelles nos liens avec des amis, nos proches et les membres de notre famille peuvent nous aider à demeurer en bonne santé. Un conjoint peut prendre soin de nous lorsque nous sommes malade, par exemple, ce qui peut entraîner un rétablissement plus rapide de maladies graves. Les gens qui jouissent du soutien d'amis ou d'un conjoint ont tendance à avoir une meilleure estime d'eux-mêmes et à prendre un meilleur soin de leur personne en adoptant un style de vie plus sain. Un réseau social solide peut aider à réduire le stress et il existe de nombreuses preuves selon lesquelles le bien-être psychologique peut avoir un effet positif déterminant sur la santé physique.

Une attitude positive et confiante rehausse le système immunitaire, ce qui assure une meilleure protection contre les maladies. Les gens qui sont seuls ou socialement isolés montrent des signes de carences immunitaires, selon le spécialiste en immunologie de l'université de l'État de l'Ohio, Ronald Glaser, qui, avec l'aide de sa femme, Janice Kiecolt-Glaser, a été le premier à étudier comment les états mentaux affectent le système immunitaire. Dans leur étude menée en 1984, ils ont découvert que les patients qui avaient obtenu un score supérieur à la moyenne au test sur la solitude, signifiant qu'ils souffraient davantage de solitude que la moyenne des gens, avaient notablement moins de cellules tueuses naturelles – les cellules lymphocytes qui s'attaquent aux intrus, incluant les tumeurs et les virus.

L'importance de la dimension sociale dans le processus d'un vieillissement réussi ne saurait être exagérée. Il existe une conviction croissante parmi les gérontologues selon laquelle nous devrions trouver, en tant que société, davantage de moyens d'aider les gens âgés à demeurer actifs et impliqués socialement. Il devient de plus en plus clair que les thérapies axées sur l'exercice ne produiront pas de résultats, si elles ne sont pas accompagnées de la dimension sociale.

La bonne forme physique est importante, comme nous l'avons démontré dans les chapitres précédents, mais l'engagement social est probablement tout aussi déterminant pour la longévité. Dans la profession gériatrique, il y a maintenant de plus en plus une tendance à encourager les personnes âgées à trouver quelque chose qu'elles aiment beaucoup faire et qui implique d'autres personnes, que ce soit une ballade à pied, jouer aux cartes ensemble ou assister à des événements.

Ces recommandations, aussi bien intentionnées qu'elles puissent être, ne donnent toutefois pas une image adéquate de la réalité. Bien qu'il y ait un mérite indéniable au fait de suggérer aux personnes de changer leurs habitudes et de rechercher plus ou moins artificiellement des occasions de s'engager, le meilleur scénario est celui qui permet à un tel engagement de s'inscrire tout naturellement dans un domaine d'intérêt personnel. Lorsque quelqu'un cultive un intérêt qui le passionne durant sa vie d'adulte et qu'il continue tout simplement cette quête dans la vieillesse, la force motrice provient alors de l'intérieur et elle est nourrie par une passion intérieure. C'est la raison pour laquelle nombre d'artistes jouissent d'une longue vie productive, étant dynamisés par le besoin (et le plaisir) associé au processus créatif.

À Gloucester, au Royaume-Uni, Ralph Hoare est connu auprès de certains comme étant le golfeur de 101 ans; pour d'autres, il est le jardinier de 101 ans. Il joue également du piano et s'est constitué un cercle enviable d'amis. Les trois premières activités sont le fruit de passions personnelles, la dimension sociale n'étant qu'un complément naturel. Quiconque le connaît n'est surpris en rien de sa longévité.

Nous appelons cela *la nécessité d'être nécessaire.* Lorsqu'il y a un objectif personnel à atteindre, lorsque nous sommes poussés par un désir passionné ou motivés par la force de relations significatives, nous jouissons alors du meilleur des mondes possible et une sorte de convergence de forces est à l'œuvre pour secrètement nous garder jeunes, robustes et au meilleur de notre forme.

Un exemple extraordinaire de ce phénomène est celui d'Albert H. Gordon, qui est demeuré longtemps à la tête de la banque d'investissement, Kidder Peabody. Gordon est décédé au milieu de l'année 2009, à l'âge de 107 ans. Il était célèbre non seulement pour sa réussite légendaire en affaires (il a été le maître d'œuvre de l'ascension de Kidder Peabody, qui est passée du statut d'insolvabilité, après le crash de 1929, à la réussite en tant que deuxième plus grande banque d'investissement, à son zénith), mais aussi pour le caractère humain de son style de gestion et la qualité de ses relations. Il se consacrait aux affaires avec passion, s'occupant personnellement de ses clients jusqu'à l'âge de plus de 90 ans et travaillant quatre jours par semaine à 105 ans. Il est demeuré vigoureusement actif en s'impliquant dans toutes sortes de domaines d'intérêts non professionnels jusqu'à la fin de ses jours. Il vaut la peine de souligner également qu'il était reconnu pour sa parfaite forme physique, qu'il percevait comme étant la clé de sa longévité. Il a été à deux reprises le plus vieux participant au marathon de Londres. Lorsqu'il voyageait, il était célèbre pour son habitude de faire le trajet entre l'aéroport et son hôtel à pied.

Une vie caractérisée par l'engagement est l'expression parfaite d'une existence qui est une prophétie s'accomplissant d'elle-même. Nous qui vivons longtemps et en bonne santé, le faisons parce que c'est à cela que nous nous attendons.

CHAPITRE 7

LA SEXUALITÉ ET
LA FORCE VITALE

Il semble un peu étrange que près de 40 ans après l'énorme succès de librairie d'Alex Comfort, *La joie du sexe,* nous nous trouvions toujours dans une culture encore prisonnière d'attitudes contradictoires et troublantes face à la sexualité et au rôle qu'elle joue dans notre vie. Et lorsqu'il est question de vieillissement et de personnes âgées, l'enjeu de la sexualité devient encore plus confus, frôlant parfois même le tabou. C'est comme si la société avait établi une limite d'âge pour la pratique de la sexualité, la rendant acceptable uniquement à l'intérieur d'une tranche d'âge se situant entre la fin de l'adolescence et quelque part vers la fin de l'âge moyen. Bien qu'il soit relativement facile de trouver des conseils professionnels soulignant le droit des personnes âgées de jouir de la sexualité, et aussi de découvrir que certaines personnes très âgées ont toujours une vie sexuelle active (quelle horreur !), nombre de gens sont toujours généralement inconfortables avec une telle notion comme étant la norme.

Ça n'a rien de secret que les personnes âgées demeurent actives sexuellement. Alors que les baby-boomers atteignent maintenant la cinquantaine et la soixantaine, ils ne semblent pas du tout disposés à renoncer à la sexualité simplement parce qu'ils ont atteint un « certain âge ». En réalité, la vie sexuelle active des personnes vieillissantes ne constitue pas un phénomène nouveau. De très nombreuses études le confirment, bien que la plupart d'entre elles soulignent un ralentissement d'activité prévisible, à mesure que les personnes avancent en âge. Une étude a découvert qu'environ 70 pour cent des hommes demeuraient sexuellement actifs à l'âge de 68 ans, mais qu'à 78 ans – dix ans plus tard, donc – ce pourcentage régressait à 25 pour cent. Une recherche plus clémente, impliquant des individus en santé âgés entre 80 et 102 ans, a découvert que 63 pour cent des hommes et 30 pour cent des femmes continuaient à avoir des relations sexuelles. La disparité entre les hommes et les femmes a été sûrement aggravée par le fait qu'à mesure où les années s'accumulent, les hommes meurent plus tôt que les femmes, en règle générale, et à l'âge de 80 ans, il ne reste que 39 hommes pour 100 femmes. Néanmoins, quelle que soit l'étude que l'on choisit, le fait demeure que le phénomène du désir et de l'activité sexuelle, de même que les préoccupations entourant la sexualité en général, se poursuivent indéfiniment.

Et pourquoi en serait-il autrement ? La sexualité se trouve à la racine même de notre force vitale, c'est une réalité intrinsèque à notre vie qui lui donne sa saveur et son élan. Elle résume l'essence de ce que nous sommes en tant qu'organismes vivants, et l'acte sexuel est l'affirmation parfaite de la vie elle-même.

La sexualité comporte, assurément, des enjeux éminemment complexes. Elle influence l'ensemble de l'expérience de l'être, incluant les relations avec les autres, les sentiments à l'égard de soi et le fonctionnement du corps. Rien ne joue un rôle aussi déterminant, en tant que mécanisme intégrateur entre l'esprit et le corps, que la sexualité. Comment le sexe *ne saurait-il pas* être une importante variable dans l'équation de notre santé personnelle ?

C'est pourquoi, émettons d'emblée l'hypothèse que la sexualité constitue un phénomène normal, sain et naturel. Promet-elle, toutefois, de vous *rendre* plus sain ? Vous aidera-t-elle à vivre plus longtemps – joue-t-elle un rôle déterminant dans le fait de vivre jusqu'à 100 ans ? Il est relativement bien connu que le fait de vivre en santé est relié à une sexualité épanouissante. La question à poser, dans un style un peu semblable à celui de la poule ou de l'œuf, est de savoir si l'inverse est également vrai. La sexualité favorise-t-elle une meilleure santé et une vie plus longue ?

Une variété d'études soutiennent sans équivoque le caractère bienfaisant pour la santé et la longévité d'une vie sexuelle très active. La première investigation sérieuse du phénomène a été une recherche menée en 1997, auprès d'un groupe d'hommes d'origine galloise. Cette étude a conclu que les hommes qui avaient indiqué avoir deux orgasmes ou plus par semaine au moment de l'étude, avaient moins de la moitié des risques de décéder de causes variées durant la période de dix ans que durerait le suivi, que ceux qui avaient une fréquence d'orgasmes inférieure.

Les résultats de recherche ont fortement révélé une relation de dose–réaction entre la fréquence des orgasmes et la mortalité. Pour le dire autrement, plus vous avez d'orgasmes et plus longtemps vous vivrez. En se basant sur de tels résultats, il est possible d'inférer que la pratique de la sexualité au quotidien devrait ajouter au moins 8 années à l'espérance de vie d'un homme. Les chercheurs ont conclu plutôt sèchement : « Advenant le cas où les présentes données sont reproduites, il risque d'y avoir des répercussions dans les programmes de promotion de la santé. »

À la *Duke University*, une étude sur la longévité, qui a débuté dans les années 1950, a révélé que la fréquence des rapports sexuels (pour les hommes) et le plaisir ressenti (pour les femmes) étaient clairement reliés à la longévité. D'autres études ont démontré que l'insatisfaction sexuelle pouvait être un indicateur d'un début de maladie cardiovasculaire. Une étude ayant comparé 100 femmes souffrant d'une maladie du cœur (infarctus du myocarde aigu) avec un groupe contrôle, a relevé une absence de réponse sexuelle et une insatisfaction à l'égard de leur vie sexuelle chez 65 pour cent des patientes coronariennes, mais uniquement de 24 pour cent chez le groupe contrôle. Bien que dans toutes ces études, des corrélations aient été trouvées entre la fréquence des rapports et le plaisir ressenti lors de ces derniers, et la longévité ou les autres conséquences éventuelles, ces études ne nous fournissent pas pour autant une réponse adéquate à notre question se rapportant à « l'œuf ou la poule ». Cependant, le lien systématique de l'activité sexuelle et du plaisir ressenti, d'une part, et la santé et la longévité, d'autre part, s'avère incontestable.

Une autre étude à long terme, menée en Écosse et impliquant des gens dont l'âge variait entre 30 et 101 ans, a conclu que, à tout le moins, la sexualité aide à avoir l'air plus jeune. Les sujets ayant une vie sexuelle active ont été estimés comme paraissant de quatre à sept ans plus jeunes qu'ils ne l'étaient en réalité. Les chercheurs ont attribué cela aux effets thérapeutiques d'une diminution significative du stress, d'un sommeil amélioré et d'une satisfaction générale, résultant de la pratique régulière de la sexualité. D'autres chercheurs ont ajouté à cette liste les bienfaits de l'intimité et des relations interpersonnelles améliorées, comme facteurs dérivés de la sexualité, qui avaient conduit les individus à jouir d'une meilleure santé et d'une longévité accrue. Le sexe et la santé ont été décrits comme faisant partie d'un « cycle vertueux » : ils se renforcent mutuellement.

LA SANTÉ SEXUELLE DES HOMMES

À mesure que l'homme avance en âge, son niveau de testostérone tend à diminuer. Typiquement, cette diminution de testostérone commence vers l'âge de 40 ans et subit un déclin passablement lent, tendant à se stabiliser vers l'âge de 60 ans. Une réduction de testostérone peut conduire à une perte de masse musculaire et de force, à une diminution de production des cellules sanguines, à une diminution de la densité osseuse, à une augmentation du tissu adipeux et, bien sûr, à une diminution de l'élan sexuel. Maintenir des niveaux adéquats de testostérone pour assurer une saine libido, de même qu'une masse musculaire stable, constitue une stratégie importante en vue de maintenir une vitalité qui permettra aux individus d'atteindre la centaine en forme et en pleine possession de leurs moyens.

Un type de testostérone synthétique a été mis au point et est accessible dans le cadre d'une thérapie de remplacement, bien que la prudence soit de mise à cet égard. La thérapie de remplacement de la testostérone est en voie de devenir très populaire auprès des hommes vieillissants en tant que solution rapide leur permettant de retrouver une certaine jeunesse. Nous sommes tous familiers avec les aspects sombres d'un tel traitement, rendus évidents récemment, par les scandales des stéroïdes dans les milieux du sport professionnel. Les problèmes entourant les suppléments de testostérone sont nombreux et ces produits sont le sujet de nombreuses controverses. Les dangers incluent la stérilité, la perte des cheveux, l'élargissement du cœur, de même que l'accélération potentielle du cancer de la prostate, pour ne nommer que quelques-uns des effets secondaires possibles, ce qui constitue un coût exorbitant à payer pour les bienfaits superficiels et passagers que procurent ces suppléments.

Heureusement, la plupart des hommes ont un mécanisme interne leur permettant de produire la testostérone et c'est l'exercice. Mais ce ne sont pas toutes les formes d'exercice physique qui y parviennent. La durée, l'intensité et la fréquence de l'exercice déterminent les niveaux de circulation de testostérone. Les niveaux de testostérone augmentent le plus durant les courtes poussées intenses d'activité physique, telles que la levée de poids et la course rapide, tandis que ces niveaux diminuent durant les activités prolongées, spécialement durant l'entraînement fréquent à l'endurance. Durant les exercices d'endurance, un besoin de testostérone se fait sentir pour soutenir les muscles, mais de longues et fréquentes périodes d'entraînement ne permettent pas la restauration et la récupération de la testostérone, entraînant ainsi des dommages possibles aux tissus musculaires fortement exposés au stress.

Des études ont démontré que les niveaux de testostérone connaissent une élévation suite à un exercice de 45 à 60 minutes. Après ce temps, les niveaux de cortisol – l'hormone du stress – se mettent à croître et les niveaux de testostérone commencent à diminuer. Cette diminution a été détectée sur une période se prolongeant jusqu'à six jours après l'exercice.

Les hommes qui font de l'exercice physique sont moins susceptibles de connaître des dysfonctions sexuelles en vieillissant. L'analyse faite par les chercheurs des données fournies par des études impliquant près de 32 000 hommes âgés de 53 à 90 ans, leur a permis de conclure que les hommes qui sont les plus actifs physiquement sont les moins susceptibles de devenir invalides. Selon Eric B. Rimm, professeur associé à la *Harvard School of Public Health,* les hommes qui courent au moins trois heures par semaine semblent jouir de capacités sexuelles d'hommes de deux à cinq ans plus jeunes. Aussi, même une activité modérée s'avère également bénéfique. Les hommes qui font de la marche rapide durant 30 minutes, la plupart des jours de la semaine, connaissent de 15 à 20 pour cent de réduction du risque de dysfonction érectile.

Ce que cela suggère est une proposition gagnant/gagnant pour les hommes qui s'engagent dans un programme d'exercices cardiovasculaires équilibré (aérobie) et d'entraînement aux haltères (anaérobie), ce dernier en vue de maintenir un bon niveau de testostérone et le premier, en vue d'assurer un système cardiovasculaire en santé. Les exercices d'aérobie améliorent la fonction des petites artères contrôlant l'érection, pour les mêmes raisons que l'exercice est bon pour le cœur. L'élargissement des artères, résultant de l'exercice régulier – la plasticité phénotypique à l'œuvre – facilite un flux sanguin optimum vers les organes. Et bien que plusieurs hommes aient tendance à se montrer indifférents face à la santé de leur cœur, ils risquent d'être beaucoup plus motivés à faire quelque chose au sujet du bien-être de leur vie sexuelle. Considérant le fait que moins de 25 pour cent des Américains font suffisamment d'exercice, il n'est pas surprenant de constater que les dysfonctions sexuelles occupent une place proéminente dans le vocabulaire moderne, particulièrement parmi les hommes plus âgés. Dans la même veine, certains médecins estiment que l'impotence pourrait être considérée comme étant un signe annonciateur de troubles cardiaques éventuels, une autre bonne raison de prêter davantage attention à ces processus vitaux.

On a fait grand cas de la découverte de médicaments pour traiter les dysfonctions érectiles. Bien que les solutions pharmaceutiques soient toujours moins profitables que les autres formes naturelles de remèdes favorisant beaucoup plus largement la santé, des médicaments tels que le Viagra et le Cialis semblent ne provoquer aucun effet secondaire sérieux et ils ont le mérite de prolonger la vie sexuelle de nombreux individus qui autrement n'auraient aucun moyen d'y prendre part. Il est à noter, toutefois, que le contexte est important. Les bienfaits de la sexualité pour la santé et le prolongement de la vie ne se résument pas à avoir simplement une érection et une éjaculation. La sexualité favorise les liens émotionnels, les dynamiques relationnelles et les facteurs attitudinaux, lesquels sont en accord avec la poursuite d'une bonne santé et la célébration de la vie.

Le cancer de la prostate, le spectre projettant son ombre sur la santé des hommes modernes, ne devrait pas être pris à la légère. Bien que les méthodes de détection et de traitement ne cessent de s'améliorer, diminuant les taux de mortalité, la menace du cancer de la prostate sur la vie sexuelle active est réelle et terrifiante. Toutefois, comme nous l'avons appris au chapitre 4, la bonne santé de la prostate peut être significativement maintenue, grâce à un programme régulier d'exercices d'aérobie. En tant que stratégie préventive, l'exercice constitue une action défensive qui est accessible à tous, chaque jour, et qui est reconnue comme mesure efficace de prévention.

LA SANTÉ SEXUELLE DES FEMMES

La convergence du vieillissement et de la sexualité présente un ensemble d'enjeux en quelque sorte différent et plus complexe pour les femmes que pour les hommes. Certains de ces enjeux impliquent des changements physiologiques qui sont uniques aux femmes (par exemple, les changements hormonaux post-ménopausiques, la sécheresse vaginale), mais ces éléments mis à part, la question des facteurs bienfaisants de la sexualité pour la santé et la longévité n'est pas bien différente de celle qui a été présentée aux hommes.

À mesure que les femmes avancent en âge, plusieurs d'entre elles feront sans doute l'expérience d'un intérêt décroissant pour la sexualité, mais cela ne veut pas dire que les femmes ne sont pas sexuellement actives, ou qu'elles aient perdu toute forme de désir sexuel. Une récente étude sur les fonctions sexuelles et le vieillissement chez des femmes d'origines et d'ethnicités diffé-rentes, et menée à l'université de la Californie, à San Francisco, a examiné les comportements sexuels de près de 2 000 femmes, âgées de 45 à 80 ans. Parmi ce groupe, 43 pour cent d'entre elles ont affirmé ressentir au moins un niveau de désir sexuel modéré, et 60 pour cent ont confirmé avoir été actives sexuellement, au cours des trois mois précédents. La moitié des participantes acti-ves sexuellement ont décrit leur niveau de satisfaction général comme étant de modéré à élevé. Plus du quart des femmes âgées de 65 ans et plus étaient demeurées modérément ou hautement intéressées dans la sexualité, et plus d'un tiers des femmes de ce groupe d'âge ont reconnu avoir été actives sexuellement au cours des trois mois précédents.

Parmi les femmes sexuellement inactives dans l'ensemble du groupe, la raison la plus fréquente mentionnée était reliée à des problèmes de partenaire, ce qui représentait 70 pour cent des réponses. Ces raisons incluaient l'absence de partenaire (36 pour cent), les problèmes physiques du partenaire (23 pour cent) et le manque d'intérêt du partenaire (11 pour cent).

Malgré le fait que la prévalence de l'activité sexuelle avait subi un déclin avec l'âge, en général, 37 pour cent des femmes qui étaient âgées de 65 ans ou plus avaient été sexuellement actives au cours des trois mois précédents et environ le même pourcentage d'entre elles se montraient modérément ou hautement intéressées à la sexualité.

Les femmes qui sont épanouies dans leur vie sexuelle affichent un meilleur score de bien-être personnel et démontrent plus de vitalité que les femmes qui ne sont pas satisfaites, selon une recherche australienne menée par la docteur Sonia Davison, de l'université Monash. Les chercheurs de son équipe ont suivi un groupe de femmes ayant reconnu avoir un rapport sexuel au moins deux fois par mois, dans le but de découvrir quels sont les liens entre la satisfaction sexuelle et le bien-être général, et également pour vérifier si les femmes postménopausées enregistraient des résultats significativement différents de ceux des femmes plus jeunes.

Ils ont découvert que les femmes qui étaient sexuellement insatisfaites affichaient un score de bien-être et de vitalité plus faible. Les chercheurs ont noté que ces données soulignaient l'importance d'aborder directement la satisfaction sexuelle comme élément essentiel de la santé des femmes, parce que les femmes ont tendance à se sentir inconfortables de discuter de ces questions avec leur médecin. Plus de 90 pour cent des femmes dans cette étude ont indiqué que leur activité sexuelle impliquait un partenaire et que l'activité sexuelle était initiée par le partenaire au moins 50 pour cent des fois. Cela signifie que l'activité sexuelle des participantes à l'étude a pu être affectée par la présence du partenaire, ou son absence, son état de santé, ou des facteurs reliés aux fonctions sexuelles qui n'ont pas été pris en compte dans cette étude, ont noté les chercheurs.

Cette dimension tend à être une différentiation significative entre la manière dont les femmes et les hommes doivent être interprétés dans ces investigations. Le fait que les femmes qui se sont identifiées elles-mêmes comme étant insatisfaites aient maintenu le niveau d'activité sexuelle rapporté représente fort probablement un comportement établi et les attentes du partenaire. Cela renforce également le fait que la fréquence de l'activité sexuelle chez les femmes ne peut être utilisée en soi comme un indicateur fiable du bien-être sexuel.

Le problème sexuel de loin le plus courant durant leurs années postreproductives mentionné par les femmes est la dyspareunie – la douleur ou l'inconfort durant ou après le rapport sexuel ou toute autre forme de pénétration du vagin. Après la ménopause, une diminution des niveaux d'hormones, soit l'estrogène et la progestérone, tend à produire une lubrification naturelle moindre et davantage d'inconfort, ou même de la douleur durant le rapport sexuel.

Il existe des remèdes, cependant. Sans doute le meilleur et le plus évident, est tout simplement la régularité des échanges sexuels. Nombre de femmes et de thérapeutes sexuels confirment la vérité du principe qui veut que ce qu'on n'utilise pas tend à se flétrir et à disparaître. Les rapports sexuels réguliers, incluant la masturbation, aident effectivement à garder les glandes vaginales actives, et les tissus souples et humides. De longues périodes de jeux sexuels avant la pénétration sont toujours utiles, même lorsque l'inconfort n'est pas important. L'usage abondant de lubrifiant soluble dans l'eau est souvent suffisant pour rendre le rapport sexuel plus agréable.

Une faible libido, ou la perte du désir sexuel chez les femmes, peuvent s'avérer un indice de la présence d'autres conditions sous-jacentes. Un haut niveau de cholestérol, à titre d'exemple, n'est pas uniquement mauvais pour le cœur – cela peut également rendre plus difficile pour les femmes de devenir sexuellement excitées. Cela pourrait signifier que des médicaments pour abaisser le niveau de cholestérol, tels que les statines, peuvent aider à traiter cette soi-disant dysfonction sexuelle (DFS) chez les femmes.

L'hyperlipidémie – un niveau élevé de cholestérol et autres matières grasses dans le sang – est associée à des problèmes de dysfonction érectile chez les hommes, parce que l'accumulation du gras sur la paroi des vaisseaux sanguins peut réduire le flux sanguin vers le tissu érectile. Puisque certains aspects de l'excitation sexuelle féminine reposent également sur l'augmentation du flux sanguin vers les organes génitaux, un groupe de recherche de la seconde université de Naples, en Italie, a étudié la fonction sexuelle chez les femmes préménopausées, impliquant à la fois des candidates souffrant d'hyperlipidémie et d'autres n'en souffrant pas.

Les femmes souffrant d'hyperlipidémie ont affiché des scores significativement inférieurs d'excitation sexuelle, d'orgasme, de lubrification et de satisfaction sexuelle, que les femmes ayant un profil lipidique sanguin normal. Aussi, 32 pour cent des femmes ayant un profil anormal ont obtenu un score suffisamment faible sur l'échelle de la fonction sexuelle féminine, pour être diagnostiquées comme DFS, comparées à 9 pour cent des femmes avec des niveaux normaux. Le désir sexuel des femmes n'a néanmoins pas été affecté par l'hyperlipidémie.

Dans un rapport de recherche distinct, Annamaria Veronelli et ses collègues de l'université de Milan, en Italie, ont découvert que la dysfonction sexuelle chez les femmes pouvait également être associée au diabète, à l'obésité et à une glande thyroïde fonctionnant au ralenti. Ces facteurs s'appliquent également aux hommes, évidemment.

En fait, ces deux études indiquent une forte connexion entre l'excitation sexuelle et les maladies organiques, ce qui reflète assez bien la manière dont les problèmes sexuels sont engendrés chez les hommes. Ce parallélisme a à peine été tenu en compte dans la recherche actuelle et est même rarement considéré pour les femmes.

Un terme relativement nouveau – le désordre hypoactif du désir sexuel (DHDS) – a fait récemment son apparition dans la littérature médicale, dans la foulée d'une prolifération de nouvelles études et – est-ce vraiment une coïncidence – d'un intérêt accru des compagnies pharmaceutiques, assoiffées de profits à faire sur l'éventuel « prochain Viagra ». Les discussions entourant le DHDS se polarisent en deux catégories distinctes : les enjeux touchant l'excitation, et les enjeux touchant le désir. Les enjeux touchant l'excitation se concentrent sur les réactions physiologiques, telles que la lubrification et l'orgasme, tandis que ceux touchant le désir se concentrent sur les facteurs psychologiques de la diminution de l'intérêt à l'égard de la sexualité. Tout cela va sûrement engendrer une nouvelle flopée de remèdes pharmaceutiques, tels que le *filbanserin,* un médicament qui s'est révélé très prometteur lors d'essais cliniques, bien que ses effets et ses conséquences demeurent encore dans leur ensemble insuffisamment clairs.

Il devrait être noté que la panoplie de produits à base de plantes promettant de stimuler la libido n'ont jamais été soumis à des tests de validation scientifique. La sexualité est un domaine où la symétrie mâle/femelle a tendance à se différencier non seulement physiologiquement mais aussi culturellement. Nous faisons partie d'un milieu culturel qui fait trop souvent la promotion de la honte et de l'ignorance à l'égard de la sexualité des femmes, tout en stimulant à l'excès leurs attentes face à la sexualité. Cela souligne l'importance de reconnaître que la dynamique de notre sexualité requiert un contexte de confort psychologique, d'absence de stress, de relations de soutien, de bien-être physique – en d'autres mots, la pleine étendue des facteurs de santé qui favorisent une longue vie.

UNE STRATÉGIE COMPLÉMENTAIRE POUR DEMEURER ACTIF SEXUELLEMENT

Nous sommes nombreux à entretenir l'idée que la sexualité est quelque chose qui est supposé fonctionner sans que nous ayons à y consacrer beaucoup d'efforts de réflexion ou de considération, comme c'est le cas pour la faim ou une démangeaison quelconque. Ce genre d'attitude nous prive des pleines possibilités de la sexualité en tant que moyen de rehausser la saveur de la vie, comme si quelqu'un percevait les aliments comme un simple carburant et traversait la vie sans jamais prendre le temps d'apprécier les plaisirs de la gastronomie.

Il existe une variété de solutions accessibles aux femmes pour stimuler leur intérêt dans la sexualité et leur plaisir durant les rapports sexuels. Les femmes d'orientation hétérosexuelle ou homosexuelle sont confrontées à la même difficulté, mais les lesbiennes risquent de pouvoir négocier plus facilement dans leur quête de solutions, puisque leur partenaire risque d'être confrontée à des enjeux similaires. Si la relation sexuelle est douloureuse ou si le partenaire masculin ne réussit pas à obtenir une érection sur commande, pourquoi ne pas mettre votre attention ailleurs que sur le rapport sexuel et découvrir les plaisirs des jeux sexuels, incluant toute activité sexuelle hormis le sexe du type «pénis dans le vagin»? Le principe est de déplacer l'objectif de l'activité sexuelle, de l'orgasme au plaisir tout simplement. On ne devrait pas «travailler fort» pour obtenir un orgasme. Il a été dit que les échanges sexuels devraient débuter par une réelle disposition intérieure et se terminer par le plaisir, avec ou sans orgasme au bout du compte. Puisque c'est le cerveau et non les organes génitaux qui constitue notre principal organe sexuel, un minimum de prévenance peut nous permettre de faire beaucoup de chemin vers la jouissance du plaisir sexuel. Une sexualité épanouissante peut comprendre des choses aussi simples que les caresses créatives, les massages sensuels, le partage de fantasmes, les caresses des organes génitaux ou l'exploration de l'univers érotique de l'autre. S'il y a une réaction génitale à l'une ou l'autre de ces activités, avec ou sans toucher, ça demeure du sexe !

LE TOUCHER – LA DIMENSION CACHÉE
DE LA SEXUALITÉ

La pleine dimension de notre nature sexuelle – notre nature humaine – inclut les effets psychophysiques du toucher et non pas seulement le contact sexuel spécifique. Les réactions biochimiques engendrées au niveau cellulaire et glandulaire par le toucher nous procurent un sens de profond bien-être personnel. Sans qu'il y ait besoin d'appuyer cela à l'aide d'un tas de données scientifiques rigoureuses, nous pouvons simplement affirmer que le toucher est bon et bienfaisant pour notre santé en général. Nous savons, à partir des chapitres précédents, quel est le rôle essentiel de l'engagement. Cela n'exige pas un grand effort de logique pour comprendre la connexion qui existe entre toucher et engagement.

Le toucher est essentiel au développement des mammifères, un fait qui est bien compris par les propriétaires d'animaux de compagnie et les gens impliqués dans le soin des animaux. Les animaux et les bébés privés de caresses auront tendance à être plus vulnérables aux maladies et à ne pas se développer à un rythme normal. La manière dont le toucher affecte la santé n'est pas entièrement bien comprise, mais le toucher opère à plusieurs niveaux, semble-t-il, et il a un lien direct avec les hormones.

Des chercheurs de l'École de médecine de l'université de Californie, à San Diego, poursuivent actuellement une série d'études sur l'hormone du cerveau qui est libérée, lors de caresses et de câlins, ou encore lorsqu'un lien se crée entre une maman et son enfant nouveau-né. Ils ont le sentiment que cette hormone pourrait éventuellement aider les patients souffrant de schizophrénie, d'anxiété sociale ou d'une variété d'autres problèmes.

L'ocytocine est un composé chimique du cerveau associé à la formation des liens affectifs de pairages, incluant les liens mère/enfant, male/femelle, l'implication paternelle accrue avec l'enfant, et la monogamie chez certains rongeurs. Chez les humains, l'ocytocine est libérée lors de caresses et de touchers physiques agréables et elle joue un certain rôle dans le cycle des réactions sexuelles humaines. Elle semble modifier les signaux du cerveau reliés à la reconnaissance sociale par le moyen d'expressions faciales, modifiant sans doute la mise à feu de l'amygdale cérébelleuse, cette partie du cerveau qui joue un rôle déterminant dans le traitement d'importants stimuli émotionnels. Ainsi, il est possible que l'ocytocine du cerveau soit un puissant médiateur du comportement social humain.

C'est la raison pour laquelle l'ocytocine est parfois appelée l'hormone de l'amour. Nos yeux sont peut-être des « fenêtres vers notre âme », qui sait ? Mais ils sont assurément une fenêtre vers notre cerveau émotionnel. Nous savons que communiquer « les yeux dans les yeux » – une action influencée par l'ocytocine – est fondamental pour une communication émotionnelle intime permettant l'expression d'un large éventail d'émotions rattachées aux relations interpersonnelles.

Le caractère bienfaisant du toucher se définit brièvement en fonction des catégories suivantes. Le toucher :

1. favorise le gain de poids chez les enfants nés avant terme ;
2. favorise une plus grande attention ;
3. réduit les symptômes dépressifs ;
4. soulage la douleur ;
5. réduit la production d'hormones de stress ;
6. améliore les fonctions immunitaires.

ÊTRE SEXY, SE SENTIR SEXY

Notre sexualité – notre conscience de nous-même en tant qu'être sexuel – peut s'avérer une prophétie qui s'accomplit d'elle-même. Si nous entretenons des sentiments d'insécurité, de trouble ou de tension intérieure au sujet de la sexualité en général, de notre propre sexualité ou de nos expériences sexuelles passées, ces sentiments et attitudes risquent d'avoir un effet marquant sur notre bien-être physique. Nous avons mentionné déjà le lien étroit qui existe entre la dimension physique de la sexualité et notre santé. Ce qui fait l'objet de nos pensées et ce que nous projetons ensuite, fait partie de la même séquence d'information. Les sentiments négatifs (ou non-sentiments) peuvent déclencher une spirale descendante de négativisme sexuel. À l'inverse, une attitude positive – le fait d'assumer sa propre dimension sexuelle – peut allumer et entretenir la flamme d'une vie sexuelle saine et épanouissante.

Se sentir sexy stimule la production de différentes hormones, favorisant ainsi les manières intangibles par lesquelles nous interagissons avec les autres êtres humains. Nous avons tous découvert cela durant notre jeunesse : le fait de cultiver ce principe, une fois rendus au troisième âge, peut littéralement s'avérer une stratégie qui prolonge notre vie.

CHAPITRE 8

UN CERVEAU QUI VIEILLIT
EN SANTÉ

L'érosion des capacités mentales, à mesure que nous vieil-lissons, est quelque chose que nous avons l'habitude de tenir pour acquis et que nous acceptons comme étant un sort inéluctable qui nous est imposé par Mère Nature. Cela semble en quelque sorte ajouter l'outrage à l'insulte, après la décrépitude physique qui est généralement associée au fait de vieillir. Nous avons tendance à considérer l'acuité mentale chez les personnes âgées comme quelque chose d'exceptionnel : « Oncle Jacques est plutôt vif d'esprit pour un vieux bonhomme de 80 ans ! » Nous disons à la blague que nous sommes mûrs pour le centre de soins prolongés, lorsque nous expérimentons des pertes de mémoire. Et tout cela est entretenu par le préjugé bien ancré voulant que nous perdions des cellules du cerveau avec l'âge.

Derrière cette fausse conception est le fait que la neuro-science a fait très peu pour dissiper ces notions jusqu'à très récemment. Pendant des décennies, il a été généralement tenu pour acquis que nos 100 milliards de cellules existaient déjà à la naissance, que le cerveau humain des adultes ne produit plus de nouvelles cellules et que la mémoire fonctionne en reconnectant des vieilles cellules du cerveau, plutôt qu'en en fabriquant de nouvelles pour enregistrer de nouvelles données. En d'autres mots, la perte des cellules du cerveau avec le temps était considérée comme un phénomène irréversible.

Des expériences de pointe, au cours de la fin des années 1990, ont démontré que le cerveau est dynamique, qu'il change et est en constante croissance, tout au long de notre vie. Des scientifiques du *Salk Institute,* une université suédoise, et de *Princeton University,* ont découvert, selon ce qui est rapporté dans *The Scientist,* qu'ils étaient en mesure de reproduire les processus naturels à l'origine de la production de nouveaux neurones. Ces nouvelles cellules du cerveau ont migré jusqu'au cortex et elles ont établi des synapses avec des cellules plus vieilles, situées sur le lobe frontal (siège de la personnalité, de la planification, du processus de décision et de la mémoire de travail MCT) et dans le lobe pariétal (siège de la mémoire de reconnaissance visuelle). Peu de temps après, des scientifiques de l'université Cornell ont été en mesure d'observer un processus similaire dans l'hippocampe, qui est associé à la mémoire en général et à la mémoire spatiale, et qui est généralement une des premières zones affectées par la maladie d'Alzheimer. La création de nouvelles cellules du cerveau (neurogenèse) a été observée chez les animaux depuis de nombreuses années, mais ce phénomène était estimé comme étant très improbable dans les régions supérieures du cerveau humain.

La neurogenèse est mise en action et contrôlée par des composés appelés neurotrophines, principalement le facteur neurotrophique dérivé du cerveau (FNDC), une protéine qui est encodée par le gène FNDC. Le FNDC agit pour aider à maintenir en vie les neurones existants et favoriser la croissance et la différenciation de nouveaux neurones et synapses, que nous pouvons comprendre comme étant la plasticité neuronale. Cette protéine est active dans le cortex et l'hippocampe, lieux où la mémoire d'apprentissage et la pensée analytique prédominent. Si le FNDC constitue la clé de la régénération des cellules du cerveau, que devons-nous faire alors pour maintenir un haut niveau de FNDC ?

L'exercice, et plus particulièrement l'aérobie, est la réponse à cette question. Une étude récente, menée à l'université de Columbia, a soumis un groupe de sujets, âgés de 21 à 45 ans, à un programme d'exercices d'entraînement, quatre jours par semaine, une heure par jour ; puis, les chercheurs ont pris une série de mesures à l'étape de la douzième semaine. Ce qui ne devrait pas nous étonner, les sujets se sont tous retrouvés en meilleure forme physique, un fait confirmé par des scores VO_2 max plus élevés. Ensuite, ils ont été soumis à des tests de résonance magnétique (IRM) du cerveau, pour mesurer non seulement le volume et la forme du cerveau, mais également le flux sanguin et l'activité électrique cervicale.

Les résultats d'IRM ont été stupéfiants. Dans des parties du cerveau de chaque sujet, le volume de sang avait presque doublé, après un modeste 12 semaines de ce régime d'exercices. L'hippocampe a été le point d'intérêt majeur. En plus des nombreuses raisons pour lesquelles les cellules du cerveau meurent, ou sont endommagées, le volume du cerveau tend à se contracter avec l'âge, un processus qui débute généralement vers la trentaine. L'hippocampe est particulièrement vulnérable à cette contraction. Il est largement estimé que la perte de neurones de l'hippocampe, quelle qu'en soit la cause, constitue la principale raison du déclin cognitif associé au vieillissement normal. La démence, incluant la maladie d'Alzheimer, est invariablement accompagnée d'une contraction de l'hippocampe.

Les chercheurs ont conclu que l'exercice peut stopper ou ralentir une telle contraction de l'hippocampe associée à l'âge, de même que ses conséquences neurologiques négatives. Les sujets des tests qui ont obtenu les scores VO_2 max les plus élevés ont également obtenu les meilleurs scores au test de mémoire, à la fin de l'étude.

Les résultats de recherche de Columbia ont été répétés dans d'autres études. À l'université de l'Illinois, un groupe d'étude composé de personnes âgées (dont l'âge variait entre 60 et 79 ans) qui avaient été largement sédentaires, s'est engagé dans un programme d'exercice impliquant une marche quotidienne de une heure par jour, trois fois par semaine. Après six mois, les résultats IRM ont non seulement démontré une croissance significative dans certaines parties du cerveau, mais ils ont suggéré aussi la possibilité que nous ayons la capacité de produire de nouveaux vaisseaux sanguins et de renforcer les connexions neuronales, tout en créant également de nouvelles cellules du cerveau. Un autre groupe ayant un profil similaire a pris part à une série d'exercices non aérobiques, impliquant principalement des exercices d'étirement et de raffermissement du tonus musculaire; de plus, un autre groupe de jeunes adultes n'ayant participé à aucun programme d'exercices a été utilisé pour une comparaison éventuelle des données obtenues, suite aux tests IRM. Le groupe non aérobique n'a démontré aucun changement dans le tissu cérébral. Le groupe plus jeune, qui n'a pas pris part aux exercices, n'a démontré aucun changement non plus. L'affirmation voulant que les exercices aérobiques constituent le chemin à suivre en vue de maintenir la santé du cerveau nous paraît irréfutable.

Le fait de fournir tout simplement davantage de sang au cerveau semble intuitivement une bonne chose. Plus de sang signifie plus d'oxygène; toutefois, y a-t-il plus que l'oxygène qui soit impliqué dans le phénomène de la neurogenèse? Il est intéressant d'examiner plus en profondeur ce qui se passe vraiment pour maintenir le cerveau dans une forme optimale. Il existe un certain nombre de théories à ce sujet, toutes dignes de confiance. Une d'entre elles accorde le crédit à l'exercice, qui aiderait à «pousser» une protéine clé à travers ce qui est connu comme la barrière sang-cerveau. Cette protéine, qui ressemble à l'insuline, est un facteur de croissance qui est produit en grande quantité, en réaction à l'exercice d'aérobie. L'exercice stimule également le cerveau pour qu'il produise davantage de sérotonine, une hormone qui affecte l'humeur et qui est également associée à la croissance des neurones. Des niveaux bas de sérotonine sont souvent observés dans les cas de dépression clinique. Il a été suggéré que le Prozac, cet antidépresseur immensément populaire, pourrait tout aussi bien être remplacé, dans nombre de cas, par une prescription d'exercice, puisqu'il faut plusieurs semaines avant de pouvoir ressentir les effets et de l'un et de l'autre, et souvent, ils procurent les mêmes résultats.

Améliorer les capacités et les fonctions du cerveau, par le moyen de l'exercice, n'est pas obligé d'être exclusivement réservé aux personnes âgées. Plusieurs programmes ont été établis pour les enfants du primaire, avec des résultats remarquables. Dans un effort entrepris en 2007, 259 élèves de troisième et de cinquième années ont été soumis à une série de routines d'éducation physique habituelles, suite à quoi leur masse corporelle a été mesurée. Ensuite, leurs résultats physiques ont été comparés à leurs scores de mathématiques et de lecture, au moyen de l'*Illinois Standards Achievement Test*. Plus les élèves ont passé de tests physiques et meilleur était leur score lors du test de performance scolaire. Les effets se sont fait sentir, indépendamment des facteurs reliés au sexe et aux différences socioéconomiques, ce qui a permis de conclure que la forme physique d'un enfant et sa forme intellectuelle sont intimement reliées.

Dans une autre étude publiée la même année, les chercheurs ont découvert que des enfants âgés de 7 à 11 ans qui faisaient de l'exercice durant 40 minutes, chaque jour après l'école, avaient fait l'expérience d'une amélioration académique plus grande que les enfants du même âge qui ne faisaient de l'exercice que durant 20 minutes. En d'autres mots, plus grand le niveau d'exercice, et plus grande la récompense en termes de performance scolaire.

Un programme continu pour les étudiants du secondaire, débuté en 2005, toujours en Illinois, vante systématiquement les mérites de l'exercice pour améliorer les performances académiques. Au cours d'un programme pilote, des étudiants ont participé à des séries d'exercices d'aérobie, tout en portant des moniteurs pour le cœur, en vue de s'assurer que leur rythme cardiaque demeurait dans la zone cible de 160-190 battements par minute. Puis, ils se sont joints à d'autres étudiants qui n'avaient pas pris part à l'exercice, pour assister à un cours avancé d'écriture et de lecture. Les étudiants qui avaient participé au programme d'exercices ont progressé l'équivalent d'un an et quart, par rapport au test de lecture standardisé, après un seul trimestre, tandis que les étudiants qui n'avaient pas fait d'exercices n'ont gagné que les neuf dixièmes d'une année.

La même approche fut alors utilisée pour des étudiants qui avaient des difficultés en mathématique, une partie de la classe s'adonnant au régime d'exercices avant un cours d'introduction à l'algèbre. Les résultats se sont avérés encore plus déterminants. Les étudiants qui ont fait de l'exercice ont amélioré leurs résultats au test de mathématique de plus de 20 pour cent, tandis que les autres n'ont fait qu'un gain de moins de 4 pour cent. Il a été noté que le temps dans la journée où les étudiants s'acquittaient de leur programme d'exercices ne faisait aucune différence. Ce qui comptait était de mener les étudiants en classe immédiatement après le programme d'exercices, ou au moment où les effets d'une circulation maximale dans le cerveau étaient toujours significatifs.

Si l'exercice constitue un stimulant clé pour le retour à la croissance des cellules du cerveau, on pourrait s'attendre alors à ce que l'obésité soit un facteur négatif. Cela semble être le cas, ce qui constitue un sujet d'inquiétude de plus, relié au surplus excessif de poids. Une étude récente, menée à UCLA et impliquant 94 personnes dans la septantaine, a révélé que les gens obèses ont 8 pour cent de moins de tissu cervical que les individus qui ont un poids normal. Leur cerveau paraissait avoir 16 ans de plus que celui des personnes minces, selon les chercheurs. Et la cause n'en est pas attribuable à l'obésité uniquement. Les individus qui se classaient comme ayant un léger surplus de poids ont démontré posséder 4 pour cent de moins de tissu cervical que leurs pairs de poids normal et leur cerveau a paru avoir vieilli prématurément de huit années.

Les chercheurs ont eu le sentiment que de telles données reflétaient une « sérieuse dégénération cervicale », résultant de la perte de tissu et d'une grave diminution des ressources cognitives, ce qui augmentait considérablement les risques de démence et d'une panoplie d'autres maladies qui affectent le cerveau. Les gens obèses avaient perdu du tissu cérébral dans les lobes frontaux et temporaux, des endroits du cerveau qui s'avèrent importants pour la planification et la mémorisation, de même que des secteurs qui constituent le siège de l'attention et des fonctions exécutives, de la mémoire à long terme, ainsi que du mouvement, selon le rapport de recherche. Les gens affichant un simple surplus de poids ont été affectés moins sérieusement, mais ils démontraient néanmoins une perte cérébrale dans la région de la mémoire à long terme. L'étude a conclu que les types d'exercices les plus exigeants avaient le potentiel de permettre aux individus de conserver à peu près la même quantité de tissu cervical que celle perdue par les obèses.

LA MÉMOIRE

Le cerveau est la chambre forte où se trouve logée notre plus précieuse ressource, notre expérience accumulée au fil des ans. L'expérience constitue un mécanisme de survie, puisqu'elle reflète les connaissances que nous avons acquises – et que nous continuerons à amasser – tout au long de notre existence. La physiologie de la mémoire est un narratif très instructif et passionnant de nos découvertes, de labyrinthes complexes et d'émergence continuelle de nouvelles connexions synaptiques, joignant ensemble des branches dendritiques qui n'étaient pas connectées auparavant. Sans une intervention énergique de notre part, elle constituera également le récit de notre éventuelle dégradation et de notre perte.

L'importance d'un haut niveau de circulation et d'oxygénation, à l'intérieur du cerveau, et plus particulièrement dans l'amygdale, qui joue un rôle important dans le processus de la mémoire, est déterminante, comme nous avons pu le démontrer auparavant. De plus, il existe une variété de stratégies d'entraînement de la mémoire, disponibles de nos jours, qui peuvent faire une énorme différence, permettant parfois de restaurer la mémoire des noms et les habiletés computationnelles chez les personnes âgées à des niveaux qu'elles n'avaient pas vus depuis l'époque de leur vingtaine. Tout ceci confirme le vieil adage : « Ce ne sont pas les cartes qu'on vous sert qui comptent, mais la manière dont vous jouez la partie. » Vivre jusqu'à 100 ans serait un exploit de moindre importance si la chose arrivait sans que vous ayez suffisamment de mémoire pour vous accompagner le long du chemin.

LA MALADIE D'ALZHEIMER

Un rapport de recherche, fourni par la Société Alzheimer, prédit que dix millions d'individus issus du baby-boom risquent d'être atteints par cette maladie aux États-Unis, une donnée qui se traduit par un individu sur huit, environ. Le Dr Ronald Petersen, directeur du Centre de recherche sur l'Alzheimer à la clinique Mayo, a affirmé publiquement que «l'exercice physique régulier est probablement le meilleur moyen de prévention contre la maladie d'Alzheimer de nos jours, meilleur encore que les médicaments, que l'activité intellectuelle, que les suppléments et que l'alimentation». C'est là un refrain qui revient de plus en plus dans la bouche d'un nombre croissant de chercheurs du domaine de la démence, selon lequel la manière la plus sûre de lutter contre de telles maladies est de mettre l'accent sur un cœur le plus en forme possible.

Le *Columbia University Medical Center* de New York a découvert que les risques d'Alzheimer se sont avérés réduits du tiers chez les participants volontaires qui étaient physiquement actifs. Ceux qui combinaient un régime de mise en forme avec une alimentation saine mettant l'accent sur la consommation de fruits et de légumes, ont diminué leur facteur de risque d'un très impressionnant 60 pour cent.

De telles découvertes sont toutes passablement récentes et elles ont reçu proportionnellement moins d'attention publique qu'elles le méritaient. Un tel état de fait se comprend, étant donné que la grande majorité de l'attention médiatique est centrée sur les efforts déployés par les grandes compagnies pharmaceutiques. Les dépenses de médicaments touchant l'Alzheimer en 2010 sont estimées à plus de 6 milliards de dollars, un marché énorme. À ce jour, les thérapies axées sur les produits pharmaceutiques se sont avérées très modestement efficaces, au mieux, sans jamais guérir le patient, mais en améliorant simplement certains des effets de la maladie ou en en ralentissant le processus. Tout cela semble remarquable, considérant le fait que la stratégie de prévention et l'approche thérapeutique la plus efficace est la plus accessible à tous et qu'elle ne coûte rien.

Après les maladies cardiovasculaires et le cancer, l'Alzheimer constitue le troisième marché en importance au monde, en termes de coûts de traitement de la maladie, de même que la troisième principale cause de mortalité dans le monde industrialisé. Il est difficile de ne pas rêver d'une population de baby-boomers en pleine forme, renversant la courbe de l'Alzheimer, récupérant ces milliards de dollars pour les rediriger vers des besoins plus bénéfiques.

LA MALADIE DE PARKINSON

Près d'un million d'individus se trouvent présentement affligés par la maladie de Parkinson aux États-Unis, et plus de 50 000 nouveaux cas sont diagnostiqués chaque année. Ce désordre dégénératif du système nerveux central affecte principalement les capacités motrices et le discours, et on ne lui connaît aucun remède. Les thérapies axées sur les médicaments ne font que traiter les symptômes de la maladie. Avec le Parkinson, les cellules du cerveau qui contiennent de la dopamine, un neurotransmetteur essentiel pour le contrôle des muscles, meurent progressivement, jusqu'à ce qu'il n'en reste qu'un très petit nombre. La dopamine transporte les signaux le long des fibres nerveuses, dont l'extrémité se trouve dans la partie du cerveau impliquée dans le contrôle des mouvements. En l'absence de dopamine, les neurones n'arrivent plus à envoyer les messages appropriés, en vue d'un contrôle moteur en douceur, avec pour résultat les symptômes bien connus de tremblements incontrôlables du Parkinson, de la rigidité des membres, de la lenteur des mouvements et d'une posture voûtée.

C'est une maladie qui affecte généralement les gens qui sont âgés de 50 ans et plus. Typiquement, la maladie se développe vers l'âge de 60 ans. Toutefois, il y a des rapports de plus en plus fréquents, indiquant une émergence précoce de la maladie de Parkinson au cours des récentes années et il a été estimé qu'entre 5 et 10 pour cent des personnes atteintes sont sous le seuil des 40 ans. Le comédien, Michael J. Fox avait 30 ans lorsqu'il a été diagnostiqué comme étant porteur de la maladie.

Des scientifiques de la *Harvard School of Public Health,* de l'université de Pittsburgh et de l'université du Sud de la Californie, ont tous découvert que l'exercice pouvait constituer un puissant système de défense contre l'apparition du Parkinson. Leurs études suggèrent que l'activité physique pourrait aider à protéger les neurones du cerveau de dommages continus provoqués par le Parkinson, amenant un des chercheurs à faire la remarque qu'une course quotidienne pouvait accomplir ce que les médicaments n'ont pas réussi à faire jusqu'ici.

À l'université de Pittsburgh, des chercheurs ont découvert que l'exercice physique procurait aux rats une puissante protection contre des maladies telles que le Parkinson. Durant les périodes où ils étaient soumis à un régime éprouvant d'exercices, on a injecté aux rats une toxine qui détruit les cellules du cerveau, mais ils n'ont jamais développé aucun symptôme et n'ont démontré presque aucun signe de dommage au cerveau, incluant les neurones produisant la dopamine. L'étude a conclu que l'exercice physique a presque complètement protégé les rats contre la perte éventuelle de ces neurones.

Une étude menée à la *Harvard School of Public Health,* en 2005, a conclu que les hommes qui avaient précédemment été des coureurs, qui avaient joué au basket-ball, ou qui avaient pris part à des activités physiques éprouvantes au moins trois fois par semaine, lorsqu'ils étaient au début de leur vie d'adulte, ont ainsi réduit leur risque d'être atteints par la maladie de Parkinson plus tard de 60 pour cent. Les gens qui sont en bonne santé maintenant feraient bien de s'adonner à une routine d'entraînement physique au quotidien. Jouez au basket. Faites de la course à pied, du vélo ou des allers-retours à la nage dans une piscine.

Le conseil est sensiblement le même pour les gens qui sont atteints de la maladie. Les experts affirment que la course à pied, la marche ou les autres activités du même genre aident à renforcer la masse musculaire, ce qui constitue un *réel apport* pour les gens qui luttent, non seulement contre la maladie, mais aussi contre la perte de puissance musculaire associée au vieillissement. Les gens qui font régulièrement de l'exercice pourraient être moins susceptibles de développer la maladie de Parkinson; toutefois des petites ballades à pied ne sont pas suffisantes. Tous les indicateurs pointent vers le besoin d'une plus forte dépense d'énergie que celle de la simple marche.

Les chercheurs de Harvard ont rapporté que la découverte la plus importante de cette étude est que des hauts niveaux d'activité physique de loisirs, allant de modérés à intenses (incluant le vélo, la nage, les exercices d'aérobie, etc.), étaient associés avec des risques moindres de maladie de Parkinson. Les participants ayant affiché les plus hauts niveaux d'activité physique, au début de l'étude, ont eu un risque nettement plus faible d'être atteints par la maladie au cours des dix années qui ont suivi, que ceux qui affichaient un niveau moins élevé d'activité ou aucun niveau du tout.

Les gens qui ont enregistré les plus hauts niveaux d'activité physique de loisirs dans l'étude ont été identifiés comme faisant l'équivalent de 5-6 heures d'exercices d'aérobie, ou de 3-4 heures de natation en couloir chaque semaine. Leur risque de développer la maladie de Parkinson était de 40 pour cent plus faible que celui des gens qui n'avaient enregistré aucune activité physique, ou seulement une activité physique légère, telle que la marche. Le niveau d'intensité et la somme de temps investi chaque semaine constituèrent le critère décisif.

L'exercice offre le bénéfice supplémentaire de procurer aux gens atteints de Parkinson davantage de force physique, ce qui les aide à maintenir un meilleur équilibre. Les patients plus en forme sont plus fonctionnels et mieux en mesure d'accomplir les tâches quotidiennes leur permettant de conserver plus longtemps leur autonomie.

LE STRESS

Le stress est l'une des conditions identifiées comme étant un «tueur silencieux» de notre époque, conséquence de la frénésie du rythme de la vie contemporaine où peu d'entre nous jouissent de moments où ils sont exempts des pressions et de l'anxiété omniprésentes. Les exigences de la vie au quotidien sont sans précédent dans le monde d'aujourd'hui et nous sommes tous confrontés au défi continuel de trouver le moyen de mieux gérer notre stress. Les statistiques sont stupéfiantes. Deux tiers des Américains reconnaissent qu'ils auraient besoin d'aide pour apprendre à gérer le stress qui les habite. L'épidémie de dépressions et de désordres reliés à l'anxiété a permis à une industrie pharmaceutique multimilliardaire d'aider les gens à mieux composer avec le stress qui semble occuper une si grande place dans les styles de vie modernes.

Les centenaires accomplis ont tendance à réussir non seulement à éviter les principales maladies et formes de dégénérescence, mais aussi à savoir bien composer avec le stress. Comme nous l'avons vu au chapitre 6, l'optimisme, l'espérance et la capacité de composer avec la perte, sont les signes distinctifs d'un profil psychologique apte à jouir d'une longue vie en bonne santé. Ces éléments sont les composantes essentielles d'un programme équilibré de saine gestion du stress. Mme Calment, notre archétype de 122 ans, semble nous avoir fourni un excellent exemple à cet égard, puisqu'elle est demeurée pleinement engagée dans la vie et qu'elle a sûrement dû apprendre à composer avec un grand nombre de situations génératrices de stress, bien après avoir franchi la borne des cent ans.

Le terme « stress », tel que nous le comprenons aujourd'hui dans sa dimension psychologique, a été élaboré par le célèbre endocrinologue, Hans Selye, qui a parlé du *syndrome d'adaptation générale* pour en décrire certaines conséquences physiologiques : le syndrome peut largement être résumé comme étant une réaction de « combat ou de fuite ».

L'exposition au stress et l'hormone du stress, la corticostérone, ont été démontrées comme diminuant la production de BDNF[5] chez les rats et lorsque ces niveaux de stress persistent, cette condition peut mener à une atrophie éventuelle de l'hippocampe. L'atrophie de l'hippocampe et celle d'autres structures intimes du cerveau se sont révélées présentes chez les humains ayant souffert de périodes prolongées de dépression chronique.

Il est généralement estimé que les pertes de mémoire associées au vieillissement sont provoquées par des dommages causés à l'hippocampe, résultant d'une exposition prolongée aux hormones de stress. Nombre d'études ont démontré que les personnes âgées qui ont été exposées à une élévation significative et prolongée de ces hormones du stress ont des régions hippocampiques plus petites et manifestent des déclins au niveau de la mémoire associés au dommage causé à l'hippocampe. Le fait de réduire les niveaux d'hormones de stress chez les rats âgés, peut rétablir le niveau de production de cellules cérébrales dans l'hippocampe.

Toutes les formes de stress produisent des conséquences physiologiques similaires. Cela peut inclure le stress relié à l'environnement (par exemple, la chaleur, le froid, le bruit), le stress chimique (la pollution, les stupéfiants, etc.), le stress physique (le surmenage, l'épuisement, les traumatismes, l'infection), le stress psychologique (l'anxiété, la peur, le choc) et le stress biomédical (les déficiences nutritionnelles, les excès alimentaires, la consommation de sucre raffiné, et ainsi de suite). Ces différentes sources de stress sont cumulatives dans leurs effets.

Le stress est la voie d'accès menant à une panoplie de problèmes de santé. Le plus pernicieux d'entre eux est sans doute l'affaiblissement du système immunitaire et nombre d'études ont relevé un lien entre le stress et à peu près toutes les conditions décrites dans l'encyclopédie médicale. Vouloir simplement éviter le stress ne constitue pas une stratégie réaliste dans le monde d'aujourd'hui. En fait, le stress fait partie intégrante de notre nature, de notre biologie. Ce qui est important est la manière dont nous métabolisons le stress, comment nous incorporons notre manière de composer avec cette réalité dans notre vie de tous les jours, de manière à éviter les étapes éventuelles du syndrome d'adaptation générale de Selye – la fatigue, l'épuisement général, et dans des cas extrêmes, la mort.

Les interviews de centenaires tendent à être largement des récits de leur appréciation de la vie qu'ils ont eue et dont ils ont eu la possibilité de jouir pleinement, et non des chroniques révélant leurs malheurs, leurs traumatismes, leurs conflits ou leur désespoir. Il existe une connexion non équivoque entre une gestion de stress réussie et une vie à long terme réussie. Ce qui nous amène au concept si important de l'attitude. Il est tentant de qualifier l'attitude comme étant quelque chose d'intangible, parce qu'il est difficile de quantifier ce phénomène. Toutefois, une attitude positive, permettant d'embrasser pleinement ce que la vie nous apporte, jour après jour, est un ciment psychologique qui lie solidement santé et longévité. Une attitude saine est une attitude de survivant.

CHAPITRE 9

LES ALIMENTS ET
LA NUTRITION

U ne durée de vie de 100 ans, en tenant compte d'une
moyenne de 3 repas par jour, implique une somme totale
d'environ 110 000 repas. À 2000 calories par jour, cela
représente environ 75 millions de calories au total, une somme
d'énergie considérable et une quantité de nourriture colossale.
Les besoins énergétiques d'une vie humaine sont impressionnants.

En examinant l'histoire de notre propre espèce, nous constatons que nous avons continuellement été, ou bien sous-alimentés,
ou bien suralimentés, au fil des siècles. Notre ère de chasseurs-
cueilleurs, qui représente plus de 99 pour cent de notre histoire
accumulée, a été caractérisée par une famine généralisée. Même
au cours des récentes décennies, la famine a continué à ravager
des populations entières.

Puis, plutôt soudainement, voilà que nous avons connu un
revirement de situation face à ce phénomène, comme pour nous
venger. La *globésité,* un terme proposé par l'Organisation mondiale

de la santé (OMS), constitue la nouvelle problématique, mena-çant d'abréger considérablement la courbe d'espérance de vie des futures générations. Pour la première fois dans l'histoire de l'humanité, la population mondiale compte plus de gens sura-limentés que sous-alimentés. L'obésité est devenue la norme nutritionnelle dans bien des quartiers de nos grandes villes. Il a été noté que la moitié de ce que nous avalons soutient notre existence, l'autre moitié permettant aux médecins de vivre à l'aise !

Il est difficile d'imaginer un sujet prêtant davantage à con-fusion, aux malentendus et aux canulars que celui des aliments et de la nutrition. Il semble absurde qu'au vingt et unième siècle, nous ne soyons pas encore parvenus à une compréhension claire de ce qui constitue un apport optimal de nourriture en vue d'une bonne santé et de la longévité. Nous sommes littéralement inon-dés d'informations de toutes sortes, certaines contradictoires, la majorité n'étant tout simplement pas fondées, et nous som-mes régulièrement étonnés de découvrir que l'aliment (ou le supplément) miracle d'hier n'est plus de mise ou s'avère même mauvais pour notre santé ! On vante à grands cris les mérites des glucides, puis ils sont relégués aux oubliettes. Ensuite, vient le tour des diètes sans gras, qui connaîtront également le même sort. Consommer de la viande est nocif pour la santé – vrai ou faux ? Le bêta-carotène est censé prévenir le cancer – mais peut-être en est-il plutôt la cause ! Qui peut nous aider à savoir ce qui est vrai dans tout cela avec certitude ? Ce qui nous semble une question de bon sens s'avère parfois contraire à notre intuition, finalement.

Une recherche récente effectuée sur le site d'Amazon.com a fourni un total de 23 000 titres de livres touchant l'alimentation. Je ne crois pas qu'il y ait un risque de se tromper en estimant que la majorité des affirmations soi-disant scientifiques faites par les auteurs entourant la nutrition s'avèrent, à l'examen, plutôt fantaisistes et ultimement erronées. Une calorie reste une calorie. C'est une mesure d'énergie spécifique, indiquant la quantité de chaleur nécessaire pour élever la température d'un centimètre cube d'eau d'un degré. Une calorie de gras correspond à la même quantité d'énergie qu'une calorie de protéine ou de glucide. Tout gain de poids ou perte de poids, au fil du temps, constitue un calcul strict basé sur l'apport calorifique. Le gain et la perte de poids correspondent à des mesures ultimes de quantité et non de types. Théoriquement, il est possible de gagner du poids en mangeant de la laitue si vous en consommez une quantité suffisante; il est également possible de perdre du poids en consommant du saindoux si vous le faites en petites quantités. De la même manière, le Dr Bortz a fait la preuve que le timing des calories n'affecte en rien leur disposition. Dans « The Effect of Feeding Frequency on Rate of Weight Loss », publié dans le *New England Journal of Medicine,* de fausses conceptions très répandues au sujet de la consommation d'aliments à différents moments de la journée ou de la nuit, ont été démontrées comme étant largement indéfendables scientifiquement. En général, cet élément ne fait aucune différence.

Il est raisonnable de se demander pourquoi il n'existe pas un plus grand consensus universel au sujet des recommandations entourant une saine alimentation. Après tout, nous vivons à une époque où la science nous procure ses lumières : nous sommes capables de mesurer la dimension d'objets qui sont pratiquement aux confins de notre univers et de calculer les propriétés quantiques d'une particule à la puissance 10^{15}. Sûrement nous devrions être en mesure de ramener la nutrition au niveau d'une science exacte !

Un tel effort risque toutefois de mener au réductionnisme, attitude qui constitue justement l'œil du cyclone nutritionnel.

S'il existe un domaine de la santé dont le résultat est supérieur à la somme de ses parties, c'est bien celui de la nutrition. Depuis au moins l'époque de l'ancienne Égypte, nous avons cherché dans nos sources d'alimentation et de boisson cette fameuse potion magique, le fruit aux propriétés miracles, la fontaine de Jouvence, la formule magique qui nous permettrait de conserver notre jeunesse et notre santé. Cette quête du Graal continue avec la même ferveur aujourd'hui.

Que devrions-nous manger? L'extraordinaire variété des régimes alimentaires qui constituent le lot quotidien des 300 millions de peuples du globe est un témoignage de notre étonnante versatilité en tant qu'espèce. Nous sommes de véritables omnivores et l'étude de notre biochimie nutritionnelle révèle la profondeur de notre «réservoir métabolique». La digestion des aliments consommés – qu'il s'agisse de glucides, de gras ou de protéines – produit éventuellement le même composé moléculaire, l'acétylcoenzyme A, qui est ensuite ou bien brûlé en échange d'énergie, ou bien synthétisé en tissu adipeux, notre bac de conservation des calories supplémentaires.

La «pyramide des aliments» que nous avons tous pu entrevoir sous une forme ou une autre, a évolué considérablement au cours des dernières décennies et elle continue de provoquer des controverses dans nombre de secteurs d'activité, indiquant ainsi combien le sujet peut s'avérer épineux. La USDA[6] n'a cessé de publier périodiquement des guides d'alimentation depuis 1916, la plus récente version datant de 2005. Le long du chemin, il y a eu une radicale évolution, de même qu'une différenciation éventuelle, entre les sources de protéines, le gras, les sucres, les types de végétaux et les huiles. Même de nos jours, le modèle proposé suscite encore la controverse. Un groupe de chercheurs de la *Harvard School of Public Health* a révélé certaines lacunes scientifiques entourant le modèle proposé par la USDA et ils ont produit leur propre guide alimentaire, en s'appuyant uniquement sur les meilleures données scientifiques contemporaines, puisées dans des études évaluées par des pairs et publiées dans des revues scientifiques. Ce modèle se distingue de ses prédécesseurs en se basant non sur l'alimentation, mais sur l'exercice et le contrôle du poids, et il inclut l'apport de suppléments de multivitamines et de calcium, de même qu'une consommation modérée d'alcool.

Encore là, le modèle de Harvard a été lui-même l'objet d'un certain nombre de critiques. Dans leur ouvrage, *Fantastic Voyage: Live Long Enough to Live Forever,* publié en 2004, Ray Kurzweil et Terry Grossman, M.D., soulignent que les recommandations fournies dans la pyramide de Harvard ne permettent pas de faire la distinction entre les huiles qui sont soit bonnes, soit nocives pour la santé. De plus, les aliments à base de grains entiers ont davantage la priorité que les légumes, ce qui ne devrait pas être le cas, puisque les légumes ont une teneur glycémique moindre (une mesure indiquant la rapidité avec laquelle le niveau de sucre dans le sang s'élève en réaction à une quantité spécifique d'aliments consommés). D'autres observations soulignent qu'on devrait accorder une plus grande priorité au poisson, à cause de son contenu élevé en oméga-3, et que les produits laitiers à haute teneur en gras devraient être exclus. Comme alternative, les auteurs proposent une nouvelle pyramide alimentaire, mettant l'accent sur les végétaux à faible teneur glycémique, sur les gras bons pour la santé, tels que ceux présents dans l'avocat, les noix et les graines, sur les protéines animales maigres, sur le poisson et sur l'huile d'olive extravierge.

Non satisfaits des autres pyramides, les chercheurs de l'*University of Michigan's School of Integrative Medicine* ont élaboré leur propre version, une pyramide d'«aliments favorisant la guérison», qui met l'accent sur des choix orientés vers les végétaux, la variété et l'équilibre. Elle inclut des sections touchant les assaisonnements et l'eau, ainsi que les matières grasses bonnes pour la santé.

Le fait que toute cette information de base ne cesse de provoquer des débats et des différences d'opinion est révélateur.

Un facteur majeur de confusion est le fait que beaucoup de données scientifiques entourant les aliments ont été utilisées pour présenter une perspective réductionniste de la réalité, sujet dont nous avons parlé dans les chapitres précédents. Nous savons beaucoup de choses au sujet des besoins nutritionnels de notre corps et nous pourrions facilement dresser une liste exhaustive des minéraux, vitamines, éléments et composés qui sont nécessaires pour maintenir le bon fonctionnement d'un organisme en santé. Le problème est que lorsque nous essayons de distinguer ces éléments nutritionnels des processus globaux entourant le maintien de nos processus métaboliques, nous découvrons alors que la somme des différentes parties n'arrive même pas à expliquer un peu l'effet opéré sur l'ensemble du phénomène. Un excellent exemple de cela est l'étude qui a affirmé que la somme totale des bienfaits pour la santé que procurent les céréales entières peut être facilement mesurée en additionnant tout simplement les bienfaits attribuables à chacun des éléments nutritionnels du grain en question.

Le processus de la digestion n'obtient pas, en général, suffisamment d'attention pour son rôle capital de médiateur entre ce que nous ingurgitons et ce qui constitue éventuellement le matériau qui soutient notre vie aux niveaux de nos organes vitaux. La digestion est le processus chimique qui assure la décomposition du contenu de notre estomac en unités de plus en plus petites, jusqu'à ce qu'il y ait des molécules suffisamment petites pour permettre leur transport à travers les tissus jusqu'au flux sanguin. Les glucides, à titre d'exemple, passent moins de temps dans l'estomac, tandis que les protéines y demeurent plus longtemps, et les gras encore plus longtemps. À mesure que les aliments se dissolvent sous l'effet des différentes sécrétions du pancréas, du foie et de l'intestin, les contenus de l'intestin sont mixés et poussés plus loin pour assurer la poursuite de la digestion. Un grand nombre de changements chimiques se produisent au cours d'un tel processus. Ensemble, les nerfs, les hormones, le sang et les organes du système digestif assurent les différentes tâches complexes de la digestion et de l'absorption des nutriments, à partir des aliments et des liquides que nous ingurgitons chaque jour.

L'alimentation est, bien sûr, beaucoup plus complexe qu'une simple source de carburant. C'est également une source considérable de plaisir, de réconfort psychique, l'expression de notre identité tribale ; nous entretenons une relation ambiguë avec les aliments, tout comme avec les autres éléments qui font partie de notre quotidien. Pourquoi les gens s'entêtent-ils à consommer ce qui s'avère malsain et mauvais pour eux ? On pourrait tout aussi bien demander pourquoi les gens s'entêtent dans des relations malsaines, bien qu'ils sachent comment agir autrement.

Cela ne serait pas sage de notre part d'ajouter à la confusion ou de rendre plus complexes encore les enjeux touchant la nourriture et la nutrition. Essayons donc de nous fixer quelques règles simples, et le lecteur pourra tout simplement sauter plus loin après les avoir lues, ou poursuivre la lecture pour en savoir davantage.

L'ouvrage déterminant de Michael Pollan, *In Defense of Food,* présente une philosophie toute simple entourant l'alimentation, qui reflète une sagesse fondamentale. Elle propose l'approche qui suit, dont la pertinence ne saurait être trop soulignée : consommez des aliments constitués principalement de végétaux et ne mangez pas trop. Ce simple mantra contient suffisamment d'information pour nous guider sur la voie qui mène à un siècle au moins d'alimentation saine.

L'expression «consommez des aliments», est une manière provocatrice de distinguer les aliments naturels de la somme de leurs éléments nutritifs. Comme nous l'avons mentionné précédemment dans l'exemple des céréales entières, lorsque nous essayons de réduire l'alimentation aux composantes dont elle est constituée, notre corps finit par ne plus reconnaître la somme des parties, par rapport à l'ensemble qu'elles forment. Notre tradition réductionniste nous a habitués à nous satisfaire d'une approche à la nutrition régie par des formules, comme il est courant de le faire dans d'autres disciplines scientifiques. En fait, nous savons que nous avons besoin de tant de grammes de protéines, de glucides et de matière grasse; de telle quantité d'unités des multiples vitamines; de telle quantité de milligrammes des minéraux essentiels. Pourquoi ne pas tout simplement créer une pilule nutritionnelle contenant tous ces éléments essentiels et nous assurer ainsi d'un programme de saine nutrition parfaitement à l'épreuve des aléas éventuels? La science-fiction est connue depuis longtemps pour sa tendance à faire le postulat de tels scénarios.

Le fait demeure que nous sommes le produit de notre héritage évolutionnaire, et pour les 99 pour cent du temps où le gène *homo* a habité la planète, nous avons réussi à survivre en consommant essentiellement des céréales entières, des végétaux et des racines, des fruits, des noix et des baies, accompagnés de protéines animales à l'occasion. Des changements drastiques à ces habitudes mettent au défi notre capacité naturelle de transformer les aliments de manière efficace et de maintenir notre moteur interne en état de bon fonctionnement. Il est déjà suffisamment dommage que nous ayons développé un certain goût pour les farines et les sucres raffinés. L'exemple de la compagnie Wonder Bread sera sans doute identifié, par les historiens de demain, comme un virage qui n'avait aucun sens sur le plan nutritionnel. Tant d'ingrédients essentiels du grain ont été retirés par le manufacturier qu'il a dû axer les enjeux de sa campagne promotionnelle du produit sur le fait que toutes les vitamines et les minéraux devaient y être ajoutés à nouveau – chacun des éléments en question ne parvenant pas à améliorer vraiment la valeur nutritionnelle du produit de manière significative.

Le contexte s'avère d'une importance capitale lorsqu'il est question de nutrition. Nos supermarchés et nos chaînes de restaurants-minute présentent une panoplie de produits qui sont tout juste acceptables en tant qu'aliments, sur la base des ingrédients qui y ont été ajoutés – le plus souvent des vitamines et des minéraux synthétiques ne faisant pas partie de la structure inhérente originale du produit alimentaire. L'échec d'une telle approche nous saute aux yeux : l'épidémie actuelle d'obésité et de diabète est généralement considérée comme découlant directement d'une alimentation de type « occidental ». Cette évolution des habitudes alimentaires s'est avérée funeste pour un très large segment de notre population actuellement.

L'ÉNIGME DU CARNIVORE

Consommer ou non de la viande a fait l'objet de controverses continuelles depuis des décennies. Nous semblons comprendre presque intuitivement que les légumes sont, d'une certaine manière, « meilleurs pour notre santé » que la viande, mais nous avons un réel besoin de protéines dans notre alimentation et la viande constitue – et cela a été le cas depuis des millénaires – une source facilement disponible de protéines. De nos jours toutefois, nombre de preuves nous démontrent clairement que la consommation de grandes quantités de viande rouge et de charcuteries est dommageable pour la santé. Ces impacts négatifs se voient particulièrement dans la consommation de viandes contenant beaucoup de matière grasse, qui sont généralement considérées comme ayant plus de saveur, ce qui les rend plus désirables.

Des chercheurs de la *U.S. National Cancer Institute* ont suivi plus de 500 000 individus, sur une période de dix ans et ils ont découvert que ceux qui mangeaient beaucoup de viande affichaient une augmentation marquée du facteur de risque de décès, quelle qu'en soit la cause. Ceux dont l'alimentation comprenait la plus haute proportion de viande rouge ou de charcuteries avaient un risque général de décès plus élevé, et spécifiquement, un risque plus élevé de cancer et de maladie cardiaque, que ceux qui en consommaient moins. Les gens qui consommaient le plus de viande mangeaient environ 160 gr de viande rouge ou de charcuteries par jour – ce qui équivaut à un steak de 6 onces par jour. Ceux qui consommaient le moins de viande ne mangeaient qu'environ 25 gr de viande par jour, ou l'équivalent d'une tranche de bacon. Les chercheurs ont estimé que 11 pour cent des décès chez les hommes, et 16 pour cent des décès chez les femmes durant la période de l'étude, auraient pu être empêchés si ces individus avaient abaissé leur consommation de viande rouge au niveau de ceux du groupe qui en avaient l'apport le moins élevé.

La viande est source de nombreux problèmes de santé. Les chercheurs de cette étude ont mentionné comme exemple premier la formation de carcinogènes, lorsque l'on cuit la viande rouge à de hautes températures. La viande est également riche en gras saturés, lesquels sont liés au développement de cancers du côlon et du sein. Les protéines ne peuvent pas être emmagasinées dans notre organisme et l'apport excédentaire des protéines qui ne sont pas immédiatement utilisées est évacué par l'urine, ce qui ajoute un stress supplémentaire sur les reins. De plus, d'autres études ont démontré que le fait de diminuer notre consommation de viande se traduisait par une diminution du risque de maladie cardiaque, de même que par une pression sanguine et des niveaux de cholestérol améliorés.

L'opinion de la majorité des gens, aujourd'hui, ne va toutefois pas dans le sens d'une alimentation exempte de viande. La viande rouge maigre et fraîche est une bonne source de protéines et d'autres nutriments, et nous avons évolué en tant qu'omnivores, après tout. L'enjeu en est surtout un de quantité et de proportion. La plupart des Américains d'aujourd'hui auraient avantage à réduire leur consommation de viande rouge de manière significative. Les recherches suggèrent entre 30 et 60 gr par jour comme étant moins susceptible d'entraîner un risque de cancer ou de maladie de cœur éventuels. Les charcuteries, qui contiennent beaucoup de sel, d'un autre côté, trouvent peu d'études pour en recommander la consommation, quelle qu'en soit la quantité, parce qu'on y trouve si peu de bienfaits pour la santé, par rapport à un risque élevé de conséquences négatives.

Le poisson, par ailleurs, est devenu le sujet de très nombreuses études ces dernières années, et les preuves s'accumulent en faveur des grands bienfaits pour la santé d'augmenter notre consommation de poisson en tant qu'alternative à d'autres sources alimentaires animales. En plus de sa valeur en termes de source de protéines, nombre d'études ont prouvé avec régularité l'existence d'une corrélation entre la consommation de poisson et un risque faible de démence. Les chercheurs ont découvert que parmi près de 15 000 adultes âgés qui habitaient en Chine, en Inde et dans plusieurs pays de l'Amérique latine, les chances de souffrir de démence éventuelle avaient tendance généralement à diminuer à mesure qu'augmentait la consommation de poisson. Pour chaque augmentation de consommation de poisson rapportée par les participants – de jamais, à quelques fois dans la semaine, à la plupart des jours ou tous les jours de la semaine – l'incidence de démence diminuait de près de 20 pour cent. Les données étudiées ont également permis de déterminer que le lien entre démence et consommation de poisson ne reflète pas simplement les bénéfices d'une alimentation généralement de meilleure qualité. L'étude a révélé que les adultes qui consommaient le plus de viande étaient plus susceptibles d'être atteints de démence que ceux qui n'en consommaient jamais.

Il est estimé, en général, que l'essentiel des bienfaits associés à la consommation du poisson provient principalement des acides gras oméga-3 qui se trouvent en abondance chez les poissons gras, tels que le saumon, le maquereau et le germon (thon blanc ou albacore). Des études en laboratoire ont démontré que les acides gras oméga-3 ont un certain nombre de propriétés qui pourraient assurer une réelle protection contre la démence – incluant des actions qui protègent les cellules nerveuses, qui limitent l'inflammation et qui aident à prévenir l'accumulation des protéines amyloïdes présentes dans le cerveau des personnes souffrant d'Alzheimer. La relation entre une consommation accrue de poisson et une prévalence moindre de démence s'est révélée la même, quel que soit le pays, à l'exception de l'Inde. Ce lien est demeuré, même lorsque les chercheurs ont tenu compte des facteurs du revenu des participants, de leur éducation et de leurs habitudes de vie, incluant l'usage du tabac et leur apport en fruits et légumes – suggérant ainsi que les différences socio-économiques ne semblaient pas jouer un rôle important dans ces conclusions.

La popularité récente des oméga-3 due au fait qu'ils contribueraient largement au maintien d'une bonne santé a eu pour résultat la récente prolifération des recherches pour en évaluer les propriétés et les réels bienfaits. Il n'est pas surprenant de constater que nombre de ces études n'arrivent pas à trouver des évidences suffisamment solides pour soutenir les affirmations faites par les défenseurs des oméga-3 pour ce qui est des enjeux qui vont au-delà de la santé cardiovasculaire en général, et les dosages optimaux n'en ont pas encore été clairement compris ni établis ; quoi qu'il en soit, les bienfaits de consommer du poisson à la place de la viande rouge semblent n'être contestés par personne. La seule mise en garde entourant le poisson est la présence éventuelle de mercure, substance qui peut s'accumuler dans l'organisme avec le temps et aussi avec la croissance du poisson. Heureusement, seules quelques variétés de poisson très populaires sont identifiées comme ayant un niveau élevé de mercure, incluant l'espadon, le thon ventru (thon ahi), l'hoplostète orange (poisson empereur) et le requin. À l'extrémité inférieure et sans danger pour ce qui est de la présence de quantités de mercure, se trouvent les produits de consommation habituels tels que le crabe, les palourdes, les crevettes, les anchois, le saumon, la truite, la sole, la pieuvre, les huîtres, le tilapia, les sardines et le hareng.

L'exemple de la viande rouge nous permet de souligner la sagesse de la troisième recommandation de Pollan, qui dit de « ne pas trop manger ». Plus tôt dans le présent ouvrage, nous avons cité l'oracle de Delphes, nous invitant à nous connaître nous-même. L'autre recommandation faite par l'oracle, il y a quelque 3 000 ans, est « la modération en toutes choses ». Nous sommes des surconsommateurs notoires, principalement à cause de la disponibilité et du coût relativement peu onéreux des produits alimentaires hauts en teneur calorifique. Toutefois, nous ferions bien de nous demander pourquoi nous agissons de la sorte. Pourquoi offrons-nous si peu de résistance avant de consommer des produits alimentaires transformés au contenu si riche en gras et en huile, en sirop de maïs à haute teneur en fructose, en sel et en additifs chimiques, sachant que cela est nocif pour notre santé de tant de façons ?

La réponse se trouve logée dans notre génome, héritage de notre passé primordial. Dans la nature, les animaux qui ne succombent pas en tant que proies d'autres animaux, meurent de faim en général. La famine constitue la Grande Faucheuse de la nature et la plus grande part de la vie des animaux sauvages est passée dans la lutte pour échapper éventuellement à la famine. Il en était ainsi pour nos ancêtres primitifs. La vie des hommes du paléolithique était dirigée essentiellement par la faim et lorsqu'un surplus en calories était disponible, l'homme des cavernes ne ratait pas une telle occasion. Accumuler un surplus de graisse a toujours été une mesure de protection contre une fin prématurée, et jusqu'à récemment dans l'histoire humaine, le fait d'accumuler un poids excédentaire était considéré comme un signe de santé, non comme une menace à celle-ci.

Ces pulsions visant à protéger la vie demeurent en nous, aujourd'hui, et elles nous aident à comprendre pourquoi, lorsque nous sommes affamés, nous avons tendance à choisir un hamburger dégoulinant de graisse et bourré de sel entre deux petits pains à haute teneur en glucides raffinés plutôt qu'une pomme. Nous continuons à ressentir la poussée de nos habitudes ancestrales de nous régaler et de tout engloutir en vitesse, lorsque l'occasion se présente. Toutefois, de nos jours, nombre de millénaires plus tard, davantage de choix s'offrent à nous que ceux de la famine ou du festin. Le défi est de remodeler notre pensée à ce sujet et de réfléchir aux conséquences éventuelles de chacun de nos choix.

Le thème de la modération apparaît dans la plupart des études impliquant des groupes de populations composées d'un pourcentage anormalement élevé de centenaires. Un des facteurs les plus courants, dans l'alimentation des centenaires, n'est pas seulement la consommation d'aliments bons pour la santé, mais aussi l'habitude de manger de petites quantités de nourriture dans le cours de la journée. Le bienfait, en termes de longévité, associé au fait de consommer des quantités plus faibles de nourriture a été bien documenté dans des études axées sur la restriction en calories.

Des chercheurs de la *Mount Sinai School of Medicine* ont mené des études animales approfondies sur les raisons physiologiques derrière le concept voulant que les restrictions alimentaires conduisent à une plus faible incidence de maladies reliées au vieillissement et à une longévité accrue, tandis que la surconsommation conduit à la situation contraire. Les résultats initiaux de cette étude ont démontré que le fait de suivre un régime d'environ 30 pour cent plus faible en calories qu'un menu typique, entraînait un niveau optimal de réduction dans le développement de conditions de santé reliées au vieillissement, telles que la maladie d'Alzheimer, de même qu'un ralentissement du processus du vieillissement, une augmentation de l'espérance de vie d'environ 50 pour cent chez les animaux testés. Donnée intéressante, il semble que la manière dont le menu a été restreint – en réduisant les matières grasses, les protéines, les glucides, etc. – n'a eu aucune incidence. Une réduction de 10 pour cent en calories a eu pour résultat uniquement une faible augmentation de la durée de vie. À l'inverse, les chercheurs ont découvert qu'une alimentation riche en calories avait tendance à accélérer l'émergence des maladies reliées au vieillissement, en favorisant le stress oxydatif et en réduisant sensiblement les chances de jouir d'une vie plus longue.

Une restriction radicale en apport calorifique prolonge certainement la durée de la vie, mais à quel prix ? Il ne devrait pas être nécessaire de vous priver excessivement de nourriture, dans l'espoir de prolonger la durée de votre vie. Nous avons de nombreux exemples, de même que de nombreuses études de laboratoire impliquant des animaux, qui font la preuve qu'une consommation modérée d'aliments sains, échelonnée de manière adéquate tout au long de la journée, peut s'avérer le rempart d'un mode de vie sain et un allié clé sur le chemin d'une très longue vie.

Sur l'île d'Okinawa, où il y a une concentration de centenaires *per capita* dépassant tout autre endroit dans le monde, l'alimentation constitue un élément majeur et distinctif du style de vie de ses habitants. Le menu okinawainais typique est composé essentiellement de céréales entières, de légumes et de poisson, avec très peu ou pas du tout d'œufs, de viande ou de produits laitiers. Les habitants d'Okinawa sont aussi probablement les plus grands consommateurs de tofu au monde *per capita*. Les produits fabriqués à base de soya jouissent d'une réputation solide, en rapport avec leurs effets positifs sur la santé, parce que le soya est particulièrement riche en flavonoïdes, lesquels ont de très fortes propriétés antioxydantes. Mais probablement un facteur clé est, que les habitants d'Okinawa ont tendance à adopter une philosophie d'alimentation axée spécifiquement sur la modération, pour ce qui a trait à leur consommation de nourriture. Au lieu de n'arrêter de manger qu'une fois remplis, ils mangent plutôt jusqu'au point où ils se sentent à 80 pour cent repus. Ils ont une expression pour une telle pratique, *hara hachi bu*, ce qui signifie littéralement « huit parts sur dix ».

Cette pratique confirme la théorie du vieillissement relié à l'effet des radicaux libres, étant donné qu'une alimentation faible en teneur calorifique offre moins d'occasions de former des radicaux libres dans le processus de métabolisme de l'organisme. Des études effectuées auprès des habitants d'Okinawa les plus âgés, ont révélé avec constance de faibles niveaux de radicaux libres dans le sang. Les mêmes études ont permis de découvrir chez ces individus des artères étonnamment dégagées et jeunes et un faible niveau de cholestérol. Il mérite d'être noté que les habitants d'Okinawa cultivent également l'habitude de faire régulièrement de l'exercice à tout âge ; ils ne consomment de l'alcool qu'en quantité modérée, ils évitent l'usage du tabac et ils affichent un caractère psychospirituel qui les porte à vivre le moins de stress possible.

Nous pouvons ainsi souligner l'importance de l'alimentation et citer nombre d'autres populations ayant un haut pourcentage de centenaires, et tirer des conclusions à partir de leurs habitudes alimentaires. Toutefois, chacun de ces exemples risque d'être également caractérisé par d'autres variables clés, et plus particulièrement par l'exercice. Pour illustrer ce point, l'Azerbaïdjan a également des statistiques de longévité impressionnantes. Lors du dernier recensement, ce pays affichait un nombre d'environ 50 personnes au-dessus de la centaine pour chaque tranche de 100 000 habitants, ce qui constitue un total de 15 000 centenaires en tout. À l'encontre de la sagesse populaire et du type d'alimentation des habitants d'Okinawa, le menu des Azerbaïdjanais se compose essentiellement de viandes grasses et de produits laitiers, tels que le lait et la crème sure. Bien que certains experts soient confondus devant cette apparente anomalie, les professionnels de la médecine de ce pays ont souligné le fait que leur mode d'alimentation national s'inspirait de recommandations ancestrales, soulignant l'importance de l'équilibre et de la modération. À titre d'exemple, ils ont l'habitude d'accompagner tout plat de viande de légumes, de verdures et de fèves. Ils consomment également énormément d'ail et de yogourt. Les amateurs de yogourt ont tendance à vanter ses mérites, en termes de longévité, mais aucune étude convaincante à ce jour n'a pu permettre de placer le yogourt dans la catégorie des aliments qui prolongent la vie.

Il vaut la peine de mentionner, en passant, que le biologiste russe, Elie Metchnikoff, récipiendaire d'un prix Nobel en 1908, était persuadé que le lactobacille, présent dans le yogourt, constituait la substance clé qui assurait la prolongation de la vie. Il a étudié les habitudes alimentaires des paysans français, russes et bulgares, et il nota que les Bulgares, qui vivaient en moyenne plus longtemps que les autres, consommaient plusieurs litres de yogourt par jour. N'accordant aucune attention aux autres différences possibles, Metchnikoff fut si impressionné par la consommation du yogourt, qu'il élabora une théorie entière à son sujet. Il adopta un régime alimentaire personnel axé sur le yogourt et chercha à persuader son entourage qu'il vivrait jusqu'à 150 ans. Il mourut à l'âge de 71 ans, une durée de vie étonnamment longue pour un mâle d'origine russe de sa génération, quoi qu'il en soit.

Des histoires similaires à celle des habitants de l'Azerbaïdjan abondent. L'île grecque Ikaria, très isolée, possède, semble-t-il, le pourcentage le plus élevé de gens ayant plus de 90 ans au monde et ses habitants attribuent leur longévité à un thé vert qu'ils ont l'habitude de boire et qui est composé de menthe, de romarin, de sauge et d'asplénium (une sorte de fougère). Il faut creuser le sujet davantage, cependant, pour découvrir que, comme le sol de l'île est plutôt accidenté et qu'il n'y a pas de mode de transport motorisé, les habitants locaux sont reconnus pour la somme d'exercices auxquels ils sont soumis, même une fois devenus âgés. Aussi, leur alimentation quotidienne se compose d'huile d'olive, de fruits et de légumes, et de très peu de charcuteries.

La Sardaigne, une île qui appartient à l'Italie, est également célèbre pour sa proportion élevée de centenaires. Les habitants de l'endroit en attribuent le mérite au raisin dont le vin local est tiré et qui est particulièrement riche en polyphénols et en antioxydants. Ces insulaires ont eux aussi adopté le régime méditerranéen classique, riche en huile d'olive, en fruits, en légumes et en poisson. Ils sont de plus reconnus pour leur bonne forme physique et leur vie active.

Dans la vallée de Hunza, au creux des montagnes du Pakistan, il semble normal pour les habitants du coin de vivre au delà de 90 ans, phénomène que les chercheurs attribuent à leur alimentation composée de fruits, de céréales et de légumes. Il faut dire, en passant, que les habitants de Hunza ont été le sujet de beaucoup d'informations erronées, véhiculées par des personnes opportunistes annonçant dans les magasins de produits de santé occidentaux les vertus du soi-disant « pain de longévité » et de l'« eau vive » provenant de leurs glaciers (qui habituellement n'ont rien à voir avec la vallée de Hunza comme telle).

La région de Vilcabamba, dans la partie sud de l'Équateur, est une autre région où un grand nombre de résidents atteignent leur 100e anniversaire en bonne santé. Certains ont tenté d'attribuer le mérite de cette longévité à la consommation d'eau minérale naturelle de l'endroit, réputée sans aucune impureté. Toutefois, des scientifiques ont fait le suivi systématique de la population de cette région depuis les années 1950 et ils attribuent plutôt cette longévité à une alimentation essentiellement composée de fruits frais, de noix et de légumes, et à l'absence presque totale d'une consommation de produit animal ou de charcuteries. Et, bien sûr, également à une activité continue, de niveau assez exigeant, incluant des montées quotidiennes le long de pentes abruptes et la culture et la récolte de céréales.

Que pouvons-nous conclure à partir de ces exemples et d'autres encore impliquant des groupes isolés dans des coins reculés et faisant preuve d'une longévité exceptionnelle ? Le régime alimentaire est important, cela est certain. Un mode d'alimentation spécifique est associé à chacun de ces exemples. Mais le régime alimentaire n'explique pas tout. Dans chacune de ces situations, il semble y avoir un ensemble de facteurs, le principal étant l'exercice, accompagné de l'habitude d'éviter les choix de vie malsains pour la santé, tels que l'usage du tabac. Dans la plupart des cas, il y avait également des facteurs sociaux, incluant des cultures familiales et communautaires très solides.

Il n'y a aucune évidence, quelle qu'elle soit, soutenant la notion qu'il nous est possible de demeurer en bonne santé grâce à notre alimentation seulement, et encore moins de jouir d'une durée de vie exceptionnelle. C'est dans notre nature humaine, semble-t-il, d'associer notre bien-être à notre alimentation et à ses corollaires, pilules, médicaments et suppléments, en croyant tout bonnement que ces éléments vont nous apporter des solutions. Dans les situations où des carences nutritionnelles sont en cause, il va de soit qu'une telle compréhension des choses est logique. Historiquement, c'est probablement lorsque les gens ont commencé à effectuer de longues traversées en mer que les effets de la privation de nourriture fraîche se sont révélés à eux d'une manière systématique.

De nos jours, cependant, nous n'avons aucune excuse de ne pas adopter une alimentation complète, équilibrée et pleinement nutritionnelle. À l'exception de groupes de gens frappés de pauvreté ou isolés, nous avons, pour la plupart, les connaissances de base et jouissons de l'accessibilité à tous les aliments dont nous avons besoin pour maintenir une bonne santé nutritionnelle. Si nous reconnaissons que c'est le cas, alors posons-nous la question : pourquoi sommes-nous une société si bombardée d'exhortations à faire l'achat de vitamines et d'une panoplie ahurissante de suppléments nutritionnels ?

LES VITAMINES, LES SUPPLÉMENTS
ET L'URINE LA PLUS CHÈRE AU MONDE

Les Américains dépensent la somme approximative de 25 milliards de dollars pour l'achat de vitamines et de suppléments nutritionnels chaque année. C'est là une donnée des plus stupéfiantes, particulièrement si on la considère dans le contexte d'une formidable crise entourant la santé à l'échelle nationale. Il apparaît clair que les deux phénomènes résultent d'un manque fondamental de connaissances au niveau nutritionnel.

Les vitamines constituent une partie essentielle des aliments qui sont absorbés dans le petit intestin, des composés organiques qui ne peuvent être synthétisés à l'intérieur de notre corps et qui doivent ainsi provenir de notre alimentation. Le mot « vitamine » est le résultat d'une contraction des deux mots *vital* et *minéral,* et il fut utilisé pour la première fois lors de la découverte de ces substances, au début du dix-neuvième siècle. Il existe deux types de vitamines, classifiées en fonction des fluides dans lesquels elles peuvent se dissoudre : les vitamines solubles dans l'eau (la famille des vitamines B et la vitamine C) et celles qui sont solubles dans la matière grasse (les vitamines A, D, E et K). Les vitamines solubles dans la matière grasse sont emmagasinées dans le foie et les tissus adipeux de l'organisme, tandis que les vitamines solubles dans l'eau ne sont pas facilement emmagasinées et les surplus sont évacués dans l'urine.

La seule raison de prendre des vitamines est dans le cas où vous croyez souffrir de carences vitaminiques. Sauf pour de rares exceptions, toutes les vitamines dont nous avons besoin sont présentes dans les aliments que nous devrions tous être en train de consommer au quotidien, particulièrement ceux qui forment la base des différentes pyramides d'aliments recommandés, c'est-à-dire les fruits frais, les légumes frais, et plus spécifiquement ceux qui sont d'un vert plus foncé, les noix, et les céréales entières. En plus de retirer de meilleurs bienfaits largement documentés des vitamines qui font partie intégrante des aliments que vous consommez, il n'y a aucun danger d'intoxication vitaminique due à une consommation excessive de cette manière. Et cela devrait être évident pour tout le monde qu'il n'est pas possible de compenser pour une alimentation malsaine en prenant tout simplement des vitamines. Notre alimentation devrait provenir de l'agriculture et non de la pharmacie.

Il peut cependant y avoir des exceptions à cette règle. Des problèmes dentaires ou l'isolement social, à titre d'exemples, peuvent contribuer à provoquer une déficience en vitamines. Nombre d'enquêtes, menées auprès de personnes âgées, nous rendent régulièrement conscients de cette malnutrition trop souvent «dissimulée». Lorsqu'une personne a une carence due à une condition quelconque, il va alors de soi de suppléer à ce manque à l'aide de vitamines spécifiques. La vitamine D constitue sans doute le meilleur exemple. Il y a une carence généralisée en vitamine D, spécialement parmi les personnes plus âgées qui ne sortent pas souvent à l'extérieur et qui ont peut-être une alimentation déficiente ; une recherche faisant l'étude de 65 000 sujets soumis à des tests a démontré qu'un apport quotidien de fortes doses de vitamine D (400 UI ou plus) avait pour résultat une réduction d'incidences de fractures des os. La vitamine B_{12} nous fournit un autre exemple : c'est une vitamine que les personnes plus âgées ont parfois de la difficulté à absorber. Y a-t-il des bienfaits associés au fait qu'une personne ayant plus de 60 ans avale une pilule multivitaminique sur une base quotidienne ? C'est possible. Et il n'y a aucun risque que cela lui cause du tort, alors pourquoi ne pas le faire ?

Il n'est pas inhabituel de rencontrer des gens soucieux de leur santé qui ont des tiroirs bourrés de vitamines et de suppléments qu'ils avalent au quotidien, tout en ayant une alimentation saine, équilibrée et tout à fait nutritive. C'est pour ces personnes que l'expression qui sert à cette section a été élaborée : « l'urine la plus chère au monde ». En d'autres mots, des doses massives de vitamines n'ajoutent rien à la santé ou à la longévité d'un individu. Il n'existe tout simplement aucune étude sérieuse pour en démontrer la pertinence.

Il est déjà suffisamment dommage que les vitamines soient mal comprises et mal utilisées en tant qu'élément nutritionnel. Ce qui est encore pire, ce sont les abus de vitamines utilisées comme des agents potentiellement préventifs ou curatifs contre les principales maladies qui ne sont pas le résultat de déficiences au niveau de l'alimentation, et tout particulièrement les maladies cardiovasculaires et les cancers. Nous avons une abondance d'études récentes, cherchant à établir un lien quelconque entre les suppléments vitaminiques et le traitement des principales maladies, et les résultats se sont avérés uniformément négatifs. Une recherche de huit ans, touchant l'usage de multivitamines et menée auprès de 16 000 femmes âgées par l'organisme *Women's Health Initiative,* n'a noté aucune réduction du risque de cancer ou de maladie cardiaque dans ce groupe, résultant de cet apport supplémentaire en vitamines. Une autre étude, datant de la même époque, a suivi 15 000 hommes sur une période de 10 ans. Un groupe a reçu un supplément de vitamines C et E et les autres ont reçu un placebo. Les deux groupes ont obtenu des résultats identiques. Également durant la même période, 35 000 hommes ont été mis sous étude, en vue de déterminer les effets de doses élevées de vitamine E et de sélénium sur une diminution éventuelle du risque de cancer de la prostate. Comme ce fut le cas dans les autres études mentionnées, aucune corrélation ne put être établie.

Ce qui est encore plus accablant, un article, publié en 2007, dans le *Journal of the American Medical Association,* a fait la recension des taux de mortalité dans des essais répartis au hasard de suppléments d'antioxydants et une augmentation de 5 pour cent de mortalité fut notée chez les groupes à qui on avait administré les suppléments ! La fameuse théorie du lauréat du prix Nobel et « père de la biologie moléculaire », Linus Pauling, recommandant l'apport de fortes doses de vitamine C, et qui est à l'origine de la vogue actuelle des suppléments vitaminiques, pourrait trouver son contrepoint dans la découverte qu'en laboratoire, les cellules cancéreuses ont tendance à plutôt se développer grâce à la vitamine C et cette substance se trouve également présente à des niveaux plus élevés dans les tumeurs que dans les tissus ordinaires.

La vitamine E, qui a eu si bonne réputation depuis des décennies auprès des professionnels de la santé et des gens soucieux de leur bien-être physique, a vu cette dernière particulièrement écorchée au cours de recherches plus récentes. Une équipe de chercheurs allemands a découvert que la vitamine E a des effets négatifs en conjonction avec l'exercice physique, parce qu'elle tend à supprimer les mécanismes naturels de défense de l'organisme contre le stress oxydatif après une période d'entraînement. D'autres tests n'ont démontré virtuellement aucun bienfait identifiable à l'usage de vitamine E sous forme de pilule et, en fait, il a été découvert que le dosage populaire de 400 UI avait tendance à *faire croître* le niveau de risque de mortalité.

Nous sommes littéralement inondés de campagnes promotionnelles de toutes sortes, entourant les antioxydants, et une visite à n'importe quel magasin d'aliments naturels risque de nous donner l'impression que le plus grand défi médical de notre époque est la lutte contre les radicaux libres et contre leur effet oxydatif. Il est facile, dans ce contexte, de tirer la conclusion que si quelqu'un consomme suffisamment de grenades, de bleuets et de baies d'açaï (à vous de choisir votre source préférée d'antioxydants), il aura de bonnes chances alors d'être tout sauf immortel. Mais les choses ne fonctionnent pas de cette manière.

Premièrement, nous n'avons pas vraiment besoin de chercher si loin ou si fort pour trouver des sources pratiques d'antioxydants. À peu près n'importe quel légume ou fruit frais est bourré de composés antioxydants et pas seulement certaines variétés très spéciales. Une seule feuille de thym contient au moins 35 antioxydants connus. Nous pouvons donc affirmer en toute sécurité que si vous consommez des fruits et des légumes frais tous les jours, vous aurez alors tous les antioxydants dont votre organisme a besoin et qu'il peut mettre à profit. C'est aussi simple que cela.

Selon le *Antioxidants Laboratory at the Human Nutrition Research Center on Aging* de la *Tufts University,* une quantité de l'ordre de 20 000 différents antioxydants est présente dans une alimentation équilibrée. Le directeur, Jeffrey Blumberg, a même fait le commentaire suivant : « Il n'y a pas 20 000 comprimés à prendre. Une des raisons pour lesquelles les suppléments alimentaires ne sauraient remplacer une alimentation équilibrée est le fait que nous ne savons pas exactement ce qu'il est important d'inclure dans chacun de ces comprimés. »

LE MYTHE DES SUPPLÉMENTS NUTRITIONNELS

Entrez dans à peu près n'importe quel centre d'achats en Amérique du Nord et vous y trouverez un magasin d'aliments naturels offrant des suppléments et des vitamines. La plupart des supermarchés modernes ont un étalage où sont offerts de tels produits également. Et pourtant, nul besoin de faire de grandes recherches pour découvrir qu'il y a un certain consensus parmi les professionnels de la santé selon lequel ces produits ne s'avèrent d'aucune réelle utilité.

Suite au *Dietary Supplement and Health Education Act*[7] de 1994, les fabricants de suppléments nutritionnels ne sont pas tenus de soumettre leurs produits à des tests pour assurer leur sécurité publique ou leur efficacité avant de les mettre sur le marché. Tant que le manufacturier n'affirme pas que son produit traite ou guérit une maladie spécifique, il peut le présenter comme favorisant n'importe quel bienfait pour la santé, s'il a le culot de le faire. La surabondance actuelle de produits promettant de «fortifier notre système immunitaire» en est un exemple flagrant. D'innombrables tests en laboratoire ont été effectués sur des suppléments disponibles à grande échelle, et les résultats se sont avérés invariablement choquants. Un grand nombre de ces produits ne contenaient pas les éléments qu'ils affirmaient posséder, ni dans les quantités mentionnées. Beaucoup d'entre eux contenaient des ingrédients de remplissage potentiellement nocifs pour la santé. Il est important que les gens comprennent à quel point ces produits sont manufacturés sans la rigueur qui devrait être de mise. Pour ne citer qu'un exemple, une étude récente pour tester 59 différentes marques commerciales de suppléments d'échinacée a révélé que presque la moitié des produits testés ne contenait aucune trace d'échinacée. Un tel phénomène est loin d'être inhabituel.

Toutefois, ce qui est sans doute encore plus important à retenir est le fait que la majorité d'entre eux n'apportent aucun avantage réel pour la santé. Il en existe sans doute une poignée qui ont démontré une certaine utilité lors de tests cliniques, mais même ces résultats se sont avérés modestes et sont présentés généralement avec des notes de mise en garde. Le Ginkgo biloba, à titre d'exemple, a contribué partiellement à une certaine amélioration de la performance cognitive, mais non sans la présence *de données contradictoires. La recherche Ginkgo Evaluation of Memory,* l'étude la plus approfondie dans le genre, a révélé que le produit en question n'avait aucun effet sur la diminution d'incidence de démence ou de maladie d'Alzheimer chez les personnes âgées.

La glucosamine, dans sa forme de sulfate de glucosamine, a démontré une efficacité modérée dans le traitement de la douleur des articulations, principalement de l'arthrose au niveau du genou. Toutefois, plus vieux le patient et plus longue la durée de l'arthrite, et moins le produit s'est avéré efficace. On ajoute souvent au produit de la chondroïtine, qui n'a pas réussi à produire jusqu'ici des résultats probants lors d'études cliniques.

L'ubiquinone $_{50}$ ou coenzyme Q_{10} est un supplément qui jouit d'une grande faveur populaire en ce moment, bien que ses effets aient été modestes. Le *National Cancer Institute* a exprimé des réserves quant à son caractère sécuritaire, et son efficacité reste à être validée de manière satisfaisante.

Le resvératrol est d'un intérêt particulier, à cause de sa grande visibilité présente et de la prolifération du produit sur tous les étalages. Plus encore que tout autre médicament ou supplément actuellement sur le marché, cette substance a été hautement recommandée en tant que solution éventuelle contre le vieillissement. Provenant de la peau du raisin avec lequel on fait le vin (et présent également, en passant, dans l'arachide, l'épicéa, l'eucalyptus et la mûre, entre autres), le resvératrol possède une variété de propriétés antioxydantes et il semble reproduire les effets de la restriction calorifique chez les animaux en laboratoire. Il n'y a eu aucun essai clinique effectué chez les humains à ce jour et les résultats chez les animaux suggèrent que des doses aux proportions irréalistes devraient être ingérées par les humains pour obtenir un effet marqué sur leur longévité.

Cela ne veut pas dire que des avancées importantes ne peuvent pas être effectuées au moyen de telles sources. Après tout, la majorité des médicaments appartenant au répertoire des médecins de notre époque proviennent de sources naturelles, tout comme le resvératrol, la glucosamine et le Ginkgo. En ce moment, il y a des projets de recherche d'envergure au sein des forêts tropicales, dans l'espoir d'y découvrir la prochaine génération de produits biochimiques promettant d'améliorer notre santé et notre bien-être. Mais les composés qui s'avéreront utiles à l'usage ne sauront le faire qu'au moyen de tests cliniques rigoureux en vue de déterminer non seulement l'efficacité du produit, mais également le dosage sécuritaire et les mises en garde entourant ses effets secondaires, avant d'être établis à l'intérieur d'un cadre de réglementation conçu pour protéger le consommateur imprudent.

Une grande part de cette recherche, devons-nous mentionner en terminant avec un soupçon d'ironie, est effectuée par la profession médicale (de même que par les défenseurs de la « médecine alternative »), travaillant à découvrir des moyens de garder en vie ces personnes que l'alimentation occidentale est en train de rendre malades. La situation serait tellement plus facile si les gens mangeaient de manière intelligente en premier lieu !

CHAPITRE 10

100 ANS ET
14 CHOIX DE SANTÉ

E n examinant la trame de notre vie à mesure qu'elle se tisse, il importe de déterminer quelles sont nos réelles possibilités. De quoi sommes-nous vraiment capables et à quoi pouvons-nous aspirer, au juste ? Quel est notre potentiel, en fait ?

Un ensemble considérable d'évidences accumulées soutiennent l'idée que 100 ans en bonne santé (et plus) est ce qui *constitue* le potentiel humain. Nous parlons ici d'autonomie personnelle, de vie vécue en pleine possession de ses facultés, libre de maladies importantes et de difficultés de santé, sur le plan physique et cognitif. Cela semble facile ! Le diable, dit-on, opère dans les menus détails.

Si nous avons pu apprendre quoi que ce soit de la science des dernières décennies, c'est le fait que le sujet si capital de la santé – et de la longévité – est avant tout une question de choix et non de destinée. Chaque jour, nous prenons des milliers de décisions, nombre d'entre elles demeurant tout à fait inconscientes.

Nous avons rarement tendance à passer du temps à réfléchir au quotidien à des concepts élevés du genre : comment réaliser notre plein potentiel en tant qu'organismes vivants, doués d'intelligence ? De tels concepts sont toutefois implicites dans les choix que nous faisons jour après jour, malgré tout. Le truc est de les amener à l'avant-scène et d'en faire une partie intégrante de notre vie quotidienne, jusqu'à ce qu'ils nous soient devenus aussi naturels que de respirer.

La réussite de ces 100 années (ou plus) en bonne santé ne saurait être que le résultat d'une série de choix de vie basés sur des données scientifiques incontournables, dont nous avons fait l'examen en détail au cours des chapitres précédents. S'il fallait dresser une liste de recommandations qui récapitulent les conclusions scientifiques accumulées auxquelles nous sommes parvenus, la chose se résumerait probablement ainsi :

1. Soyez réaliste. Le vieillissement est un processus inéluctable. Ce n'est pas une maladie dont il faille guérir. La deuxième loi de la thermodynamique est incontournable également et nous y sommes soumis. Toutefois, accepter cette inévitabilité du vieillissement ne signifie pas qu'il faille sombrer dans la passivité. Tout vieillissement n'est pas égal. Le phénomène n'est pas aussi mauvais que vous le pensiez et, en fait, il peut s'avérer presque invisible, tout spécialement si vous mettez en pratique le prochain ensemble de règles. La réalité se situe largement à l'intérieur de nos propres moyens de contrôler notre remise en forme, d'une panoplie de façons extraordinaires.

2. Prêtez attention à votre corps. L'oracle de Delphes – « Connais-toi toi-même. » – nous fournit notre première règle de sagesse, en vue d'une vie longue et en santé. Apprenez à mieux connaître votre corps, vos mécanismes intimes.

Accordez une attention soutenue à ce que votre organisme est en train de vous dire. Émerveillez-vous devant ses complexités. Apprenez le plus possible de choses à son sujet – ne comptez pas uniquement sur votre médecin pour vous apprendre des choses que vous devriez savoir déjà sur vous-même.

Passez régulièrement des moments devant le miroir. Ayez un regard critique et montrez-vous constructif. Évaluez-vous. Un peu de vanité personnelle peut s'avérer une bonne chose, au bout du compte. Demandez-vous ce que vous pouvez faire pour être plus en forme, plus robuste, plus en santé. Mettez Mère Nature au défi.

3. Bougez ! Bougez tout ce qu'il vous est possible de bouger. Prenez du plaisir dans le don du mouvement qui vous a été fait. Marchez. Courez. Remuez-vous. Faites fonctionner vos articulations. Sautez (quand est la dernière fois où vous avez sauté ?). Courbez-vous. Étirez-vous. Levez les bras au-dessus de votre tête. Nagez. Jouez au ballon. À n'importe quel jeu avec une balle ou un ballon.

Le mouvement est la vie. L'absence de mouvement est l'absence de la vie. Le mouvement ne devrait jamais être perçu comme une corvée, mais comme une opportunité qui nous est donnée. Notre capacité de bouger est la mesure de notre maîtrise de l'espace dans lequel nous habitons. C'est là un cadeau merveilleux. Prenez plaisir à le savourer.

4. Devenez plus robuste. Et demeurez fort. Faites de l'exercice aux poids et haltères ou adoptez une forme équivalente d'entraînement à la résistance. Fixez votre attention sur chacun de vos muscles. Réjouissez-vous de les avoir, soyez-en fier, car ils sont des aides extraordinaires dans la vie. Mettez-les au défi. Soyez assez robuste pour vivre jusqu'à

100 ans. La force est la vie. Soyez aussi robuste que vous le pouvez. Il s'avère impossible d'être quelqu'un de trop fort.

5. Devenez une personne qui réfléchit de manière systémique. Apprenez à réfléchir en termes de l'ensemble de votre être et pas seulement de ses parties. Évitez le piège qui consiste à croire qu'un cours d'actions en particulier va vous permettre de compenser pour toutes les occasions que vous ne saisissez pas. Devenez conscient de la coopération et de l'intégration qui s'opèrent entre les différentes parties de votre être – vos organes, vos muscles et vos os, votre sens de bien-être. Méfiez-vous de l'idée fausse qui est derrière la pensée magique.

6. Retrouvez la forme et gardez-la. Être en forme grâce aux exercices d'aérobie doit devenir une habitude pour vous, un mode de vie. C'est plus facile que vous le croyez et tout à fait irrésistible, une fois que vous vous y serez mis. Faites quelques exercices d'aérobie au moins trois fois par semaine. Cinq fois serait encore mieux. Faites de la course à pied si vous le pouvez. Si ce n'est pas possible, marchez alors. Saisissez n'importe quelle occasion pour marcher. Tous les jours. Trop marcher est quelque chose qui n'existe tout simplement pas. La bonne forme physique (aérobie) constitue le meilleur système de défense contre la plupart des cruels ravages dus au vieillissement forcé qui résulte de sérieuses maladies et de la fragilité.

7. Prenez-vous en main. Utilisez un langage corporel qui constitue une prophétie s'accomplissant d'elle-même. Redressez-vous. Rejetez les épaules vers l'arrière. Bombez le torse. Relevez le menton. Adoptez une démarche jeune. Défiez la gravité. Croyez à la prophétie qui se réalise d'elle-même – une posture jeune vous permettra de conserver

une image et des attitudes caractérisées par la jeunesse. C'est là un processus subtil, mais il est efficace.

8. Mangez de manière éclairée. Puisez vos nutriments dans vos aliments. Réfléchissez à ce que vous incorporez dans votre organisme. Il n'y a aucune excuse de ne pas le faire. Vous ne vous tromperez jamais avec des fruits et des légumes. Si votre source première d'alimentation provient des végétaux, vous avez établi une importante tête de pont sur la voie qui mène à une longue vie en bonne santé.

9. Usez de modération en toutes choses. C'est là un brin de sagesse vieux de 3000 ans, tiré de l'oracle de Delphes. C'est l'essence même du bon sens. Aliments? Breuvages? Choses qui sont mauvaises pour votre santé? De faibles doses ne vous feront aucun mal. Nous ne sommes pas si fragiles. Ces choses ne devraient pas vraiment devenir le sujet de vos craintes. Notre espèce n'est pas parvenue au premier niveau de l'échelle de l'évolution en étant extrêmement fragile.

10. N'attendez pas un miracle. Ne misez pas sur la «pilule de la jeunesse», même si vous vous sentez fortuné. Les chances de voir apparaître dans un avenir proche à l'horizon le médicament permettant de prolonger la vie sont nulles en ce moment. Cela ne se produira tout simplement pas. La science médicale ne parviendra pas à élaborer un antidote efficace contre les poisons que vous fait avaler votre style de vie. Plus vite vous vous débarrasserez d'une telle notion et meilleures seront vos chances de vous en tirer.

11. Oubliez vos gènes. De bons gènes, de mauvais gènes? Faites table rase de tout cela. Quel que soit ce qui se trouve dans votre génome personnel, cela ne constituera jamais le facteur dominant dans vos résultats personnels. La véritable

raison d'être du fait d'appartenir à l'humanité est justement cette capacité de déterminer quelle sera votre destinée
personnelle. Une fois de plus, l'état de votre vie et de votre
santé est une question de choix et non de destin.

12. Soyez nécessaire. Soyez engagé. Mais il vaut encore mieux
pour être *nécessaire,* avoir une véritable raison d'être. La
puissance d'un tel élément intangible est incalculable en termes de motivation de vivre et de durée de vie. Investissez
dans vos relations en leur accordant valeur et importance
(sens). Réfléchissez aux membres de votre famille et à vos
amis comme étant votre convoi personnel, vous escortant
tout au long de votre passage dans cette vie.

13. Prenez plaisir à votre sexualité. La grande majorité des
débats entourant l'influence du vieillissement sur la santé
négligent complètement la question de la sexualité. Sans
doute est-ce parce que la sexualité demeure toujours un
sujet tabou avec lequel nombre de personnes se sentent
inconfortables et au sujet duquel elles n'ont pas l'habitude
de parler ou de réfléchir. Toutefois, notre sexualité a un
formidable pouvoir de stimuler la vie et même de la restaurer, et elle constitue une partie intégrante du moteur qui
anime notre existence, notre force motrice. Nous avons la
possibilité de jouir de la sexualité indéfiniment et lorsque
c'est le cas, nous ajoutons des années vitales et saines à
notre vie.

14. Cherchez à capter le courant. Nous savons tous intuitivement ce que veut dire ce *courant*. C'est lorsque tout se
déroule en douceur, lorsque les composantes d'un système
s'unissent dans une parfaite harmonie, et lorsque nous
avons l'impression de nous trouver à un endroit où tout
semble ne demander aucun effort de notre part. Les athlètes utilisent parfois l'expression « se trouver dans la zone »

pour définir cet état d'esprit, lorsque tout coopère ensemble et qu'ils semblent être au sommet de leur forme. Voilà ce qu'est le courant. Les musiciens et les artistes font l'expérience de ce courant qui passe, lorsqu'ils sentent qu'ils font un avec leur travail au point d'en être complètement absorbés.

Un sentiment de *capter le courant* s'ensuit lorsque nous nous engageons dans une série d'actions significatives que nous avons planifiées et qui reflètent la poursuite de nos objectifs. Dans le domaine de la santé, le *courant* peut constituer un état constant et pas seulement une expérience ponctuelle, à certains moments. Le *courant* est l'expression d'une santé optimale, la convergence de la bonne forme (aérobie), de la robustesse, de l'engagement, de la nutrition, de l'attitude, de la saine perspective sur la vie et de l'énergie sexuelle. Dans le sens où nous l'utilisons ici, le concept de *courant* a été élaboré par le psychologue de l'université de Chicago, Mihaly Csikszentmihalyi, pour décrire un champ d'étude du comportement examinant la connexion entre la satisfaction et les activités quotidiennes. C'est l'incarnation d'une « expérience de pointe » qui est à la fois satisfaisante et exigeante ; elle est exigeante parce qu'une fois qu'on l'a vécue, elle établit un standard que chacun se sentira tenu de maintenir.

Aristote a fait l'observation, il y a de cela 2300 ans, que plus que toute autre chose, les hommes et les femmes aspirent au bonheur. Il estimait que ce dernier était le mieux exprimé sous la forme d'un équilibre parfait entre deux extrêmes. C'est dans un tel contexte que le *courant* devrait être compris, un phénomène qui se produit à l'intersection idéale entre capacité et tâche, organisme et environnement. En d'autres mots, le *courant* se produit lorsque le défi et les capacités se rencontrent. Lorsque le défi dépasse les capacités perçues, il en résulte du stress. Lorsque l'occasion qui se présente n'est pas à la hauteur de nos capacités, l'ennui en résulte.

Le *courant* ne se produit jamais dans un environnement statique ; il est plutôt associé à l'activité en vue d'un objectif. Dans ce sens, nous pouvons dire alors que le *courant* contient tous les paramètres responsables de la santé physique. *Mens sana in corpore sano,* tout est harmonie.

LE RÔLE DE LA MÉDECINE

Le thème du présent livre a été non seulement de vous fournir un itinéraire pour vous permettre d'atteindre une longue vie, mais le sujet sous-jacent a été celui de retrouver le pouvoir sur votre propre santé. Une bonne partie de ce qui ne va pas face à la condition affreuse de notre système de soins de santé au niveau national, actuellement, est attribuable à notre tendance à nous tourner vers la profession médicale – nos institutions, nos cliniques de médecins et l'industrie pharmaceutique – pour qu'elle nous fournisse toutes les réponses. En fait, nous avons tendance à présumer, d'une manière qui nous semble aller de soi, que la profession médicale est la responsable de notre santé, que c'est bien la responsabilité de nos médecins de trouver des moyens de nous garder en vie et en santé, quel que soit notre comportement. Un tel point de vue est une erreur de jugement, évidemment. La médecine se préoccupe encore tristement bien plus de la maladie que de la santé.

Nous envisageons une nouvelle forme de médecine dans laquelle la profession médicale créerait un nouveau cadre de praticiens sortant de nos écoles de médecine, et qui aspireraient davantage à être des spécialistes de la santé que des spécialistes de la maladie. En attendant, toutefois, la médecine a néanmoins maîtrisé un ensemble spécifique de fonctions susceptibles d'aider de plus en plus d'entre nous à atteindre le pinacle d'une centaine d'années en bonne santé.

La médecine doit continuer à intervenir dans la prévention et le traitement des infections et des maladies congénitales. C'est là le plus grand triomphe de la médecine moderne à date, et elle doit continuer de progresser dans ce sens. Nombre de maladies infectieuses sont comme des mines antipersonnel enfouies sur la voie qui mène à nos 100 ans et la médecine devrait continuer à lutter contre ces menaces.

La recherche médicale doit continuer à jouer un rôle vital dans la compréhension des agents pathogènes et de leurs dynamiques ; elle doit trouver des façons de composer avec eux. Elle doit également nous fournir davantage de données scientifiques entourant notre constitution génétique, pour nous permettre d'approfondir notre compréhension de la biologie derrière le déploiement de nos processus physiques. Cependant, nous ne devons pas compter sur le milieu médical pour le maintien de notre santé. En fin de compte nous devrons assumer entièrement nos responsabilités à long terme face à notre santé individuelle. C'est là un pas à faire qui s'avérera déterminant sur la voie d'une centaine d'années ou plus en bonne santé.

La médecine doit également relever le défi qui se présente dans l'émergence des soi-disant canaux de médecine alternative, qui représentent de nos jours un marché de plusieurs milliards de dollars. Plus d'un tiers de la population américaine fait usage d'une forme ou l'autre de remèdes alternatifs pour la santé. Et ceci en dépit du fait que presque tous ces produits et ces approches –

de l'acupuncture à l'aromathérapie, incluant la pléthore de traitements à partir d'extraits de plantes – n'ont pas encore réussi à démontrer leur efficacité lors de tests contrôlés de manière scientifique – c'est-à-dire des études en double aveugle et impliquant placebo, menées et dirigées par des chercheurs accrédités.

Nous constituons une nation qui se voit de plus en plus préoccupée de santé, de bonne forme physique et de vieillissement sain. Certainement, nos dépenses pour toutes ces formes de soins médicaux, qu'ils soient conventionnels ou alternatifs, pharmaceutiques ou à partir de suppléments nutritionnels, démontrent clairement combien nous avons conscience de l'importance de ces enjeux et quelles sont nos intentions. La solution aux questions énormes que la santé soulève, toutefois, s'avère étonnamment peu chère et accessible. L'essentiel du coût consiste simplement en la dépense intangible d'énergie personnelle et en la volonté d'embrasser pleinement la vie que notre évolution nous permet d'apprécier.

SUR LA PERTE ET LA MORT

WALTER BORTZ

Une de mes devises les plus significatives m'a été donnée par mon père dans son adaptation des poèmes de Robert Browning, *Rabbi Ben Ezra*.

Voici les mots de mon papa :

Alors, accueille toutes les rebuffades

Qui rendent la douceur de cette terre plutôt rude

Qui poussent chaque homme ni à s'asseoir, ni à se tenir debout

Mais à foncer.

Je ne saurais compter combien de fois ces paroles m'ont redonné le courage d'avancer. Elles ont été parmi les derniers mots que j'ai dits à papa, lorsqu'il était à l'article de la mort. Elles m'ont permis de traverser nombre de crises qui me semblaient parfois trop lourdes à porter ; je me suis retrouvé à chaque fois de l'autre côté de la rivière, intact, et probablement meilleur après cette rencontre.

L'observation selon laquelle le suicide serait une réponse permanente à un problème habituellement temporaire place la dimension du temps dans une excellente perspective. Mais peu d'entre nous sont suffisamment sages pour comprendre que demain nous offre un tout nouveau départ. J'ai toujours été fasciné par le fait que le symbole chinois utilisé pour les mots *crise* et *opportunité* est le même.

Le processus du vieillissement apporte inévitablement des preuves répétées de déclin. Si c'est là le seul message qui est entendu, alors la dépression n'est pas loin derrière. Toutefois, un autre de mes philosophes préférés, l'écrivain et éditeur, Norman Cousins, a fait la sage observation que personne n'est assez intelligent pour être un pessimiste. Le soleil finit toujours par se lever chaque matin, quoi que les opposants systématiques affirment.

Le processus de vieillissement procure ultimement des perspectives sur lesquelles nos ancêtres de l'époque paléolithique n'avaient d'autre choix que de s'appuyer pour assurer leur survie. Les anciens Grecs et les anciens Chinois vénéraient l'âge d'un individu, parce que les anciens possédaient une sagesse qui leur permettait de tirer les plus jeunes de mauvaises situations dans lesquelles ils s'étaient mis.

Mon ami Paul Baltes, le psychologue qui a élaboré le terme «vieillissement réussi», ainsi que la pionnière du développement humain, Joan Erikson, ont tous deux conclu que la sagesse est très rare et que la plupart des gens sages actuellement sur cette planète sont âgés. La raison de cela est sans doute une conséquence de

notre neuroanatomie. La structure du cerveau chez l'enfant imma-
ture est remplie de cellules nerveuses et de peu de dendrites. Ce
n'est qu'avec le passage du temps et avec les leçons que nous
procurent nos expériences, bonnes comme mauvaises, que les dendrites croissent, arborisent et entrent en interconnexion, comme
un arbuste au printemps.

Une expression hautement personnelle de ce phénomène concerne mon habitude de courir les marathons, ce qui me semble
étonnamment devenir plus facile, à mesure que je vieillis. Je sais
que je ne vais pas tomber raide mort au kilomètre 30, que cette
crampe risque de disparaître d'un moment à l'autre et ainsi, que
l'inconfort du moment fera place à l'euphorie de la réussite avant
longtemps.

Une règle générale évolue. Nous nous inquiétons de ce que
nous ne connaissons pas, et avec les années, nous avons moins
de surprises qui nous bousculent ou nous confondent que lorsque
nous étions plus jeunes.

Irving Yalom, le distingué psychiatre de Stanford, et une
sommité en matière d'anxiété reliée à la mort, nous offre dans
son livre, *Staring at the Sun,* l'image transcendante et attrayante
de l'ondulation pour représenter le cycle perpétuel de chaque vie
unique. L'image de l'ondulation illustre bien la nature tempo-
relle et les limites qui caractérisent notre organisme, mais elle
suppose la continuation des énergies vitales. La mort, dans cette
interprétation, est quelque chose de plus que le simple fait de
se délester de notre poids corporel ; c'est la persistance de notre
champ énergétique. On peut comprendre ce phénomène comme
étant la conséquence de l'interchangeabilité de la matière et de
l'énergie, un des principes les plus fondamentaux de la physique. Le concept de l'ondulation répond effectivement à notre
peur instinctive de disparaître, cette pensée qu'à la mort, tout ce

qui me concerne personnellement aura disparu. Ce n'est pas le cas. Nos ondulations, la signature énergétique derrière notre vie, demeurent et durent.

Une telle image est conforme à l'effet papillon de la théorie du chaos, l'idée selon laquelle «il nous est impossible de toucher une fleur sans qu'une étoile en soit affectée», une notion poétique issue de Francis Thompson. Les ondulations célèbrent Mozart, le Bouddha, Aristote, le Christ, Einstein, Darwin, pour n'en nommer que quelques-uns dont les énergies vitales perdurent et pénètrent nos aujourd'huis d'une manière beaucoup plus large qu'elles ne le faisaient auparavant lorsqu'ils étaient vivants. De la même manière, même le plus modeste parmi nous laisse des traces derrière lui.

Accepter un si riche message, cette représentation philoso-phique et thermophysique de ce que la mort représente, peut opérer une réelle percée dans votre vie, car la peur de la mort se trouve à l'origine de nombreux sujets d'anxiété. Une telle prise de conscience est souvent catalysée comme étant une «expé-rience d'éveil» – un rêve, ou un deuil (la perte d'un être cher, un divorce, la perte d'un emploi ou d'une maison), la maladie, un traumatisme, sans parler du vieillissement. Dans la conception du Dr Yalom, nous sommes encouragés à aspirer à davantage d'engagements directs avec les autres. De telles connexions com-patissantes nous permettront de surmonter la terreur que nous ressentons face à la mort et de mener une vie plus joyeuse et significative.

Une fois que nous avons fait face à notre propre mortalité, nous trouvons énormément plus facile de réarranger nos prio-rités, de communiquer plus profondément avec ceux que nous aimons, d'apprécier plus intensément encore la beauté de la vie et de maximiser notre volonté de prendre les risques nécessaires en vue d'assurer notre plénitude personnelle. Et d'imprimer nos ondulations sur le cosmos pour toujours.

NOTES

1. NDT. Littéralement, l'exaltation du coureur.

2. NDT. Littéralement, *Exercices recommandés pour adultes en santé et exercices recommandés pour adultes ayant plus de 65 ans.*

3. NDT. Appareil de musculation des pectoraux et des deltoïdes. Appareil à charge guidée pour le haut du corps.

4. NDT. Le crunch est un exercice de musculation pour les abdominaux en enroulement vertébral qui peut s'effectuer avec ou sans banc de musculation.

5. BDNF. NDT. En anglais, brain-derived neurotrophic factor. Facteur neurotrophique associé au gène du même nom.

6. NDT. L'agence du Département de l'agriculture des États-Unis.

7. NDT. Loi américaine touchant les suppléments alimentaires et l'éducation sur la santé.

RÉFÉRENCES

CHAPITRE 1

Allard, Michel, et autres. *Jeanne Calment: From Van Gogh's Time to Ours, 122 Extraordinary Years.* Thorndike Senior Lifestyle (UK). Une biographie documentée de la plus vieille centenaire moderne, décédée en 1997 à l'âge de 122 ans.

Bortz, Walter M., M.D. "Biological Basis of Determinants of Health", *American Journal of Public Health* 95, n° 3 (mars 2005). Une définition complète de la santé est ramenée à quatre catégories, cherchant à déterminer quel pourcentage de votre santé se trouve sous votre contrôle personnel. Dans cet article, le Dr Bortz nous fournit un nouveau cadre conceptuel pour les déterminants biologiques de la santé.

Dani Sergio U., Hori A., Walter, G.F. (éditeur). *Principles of Neural Aging* (Elsevier Science Pub. 1997). Cet ouvrage introduit le concept de l'entropie au niveau cellulaire, non seulement en termes de courant d'énergie, mais également en termes de ses implications dans la perte d'information au cours du processus de réplication cellulaire comme un facteur du vieillissement.

Growing Old in America: Expectations vs. Reality. Pew Research Center. Juin 2009. http://pewresearch.org/pubs/1269/aging-survey-expectations-versus-reality.

Hamalainen, Mark. "Thermodynamics and Information in Aging: Why Aging Is Not a Mystery and How We Will Be Able to Make Rational Interventions." *Rejuvenation Research* 8, n° 1 (printemps 2005): 29-36. doi:10.1089/rej.2005.8.29.

Hayflick, Leonard. *How and Why We Age* (New York : Ballantine Books, 1996).

Ho, Mae-Wan. *The Rainbow and the Worm: The Physics of Organisms* (Singapore : World Scientific Publishing, 2008).

Hotz, Robert Lee. "Secrets of the Wellderly." *Wall Street Journal,* le 19 septembre 2008. http://online.wsj.com/article/SB1221768577 06253591.

Hunza : Un résumé des gens du royaume himalayen de Hunza dont on a remarqué la longévité depuis un bon moment déjà. http://longe vity.about.com/od/longevitylegends/p/hunza.htm.

Okinawa Centenarians. http:www.okicent.org. Une étude qui se poursuit sur la longévité parmi les Okinawan, le groupe de gens à vivre longtemps qui a probablement été étudié le plus sur la planète.

Préambule à la Constitution of the World Health Organization tel qu'adopté par la International Health Conference, New York, du 19 au 22 juin 1946 ; signé le 22 juillet 1946, par les représentants de 61 États (Official Records of the World Health Organization, n° 2, p. 100) et mis en action le 7 avril 1948.

Schneider Eric. D, et Dorion Sagan. *Into the Cool: Energy Flow, Thermodynamics and Life* (Chicago : University of Chicago Press, 2006).

Les statistiques à propos des centenaires abondent et ont été largement offertes dans les médias ces derniers temps.

À voir par exemple :

Bureau of the Census, *Older Americans Month* : Mai 2009, Facts for Features, le 3 mars 2009, 5 p.

Le British web site http://www.thecentenarian.co.uk/AgeStatistics Category. html présente une quantité importante d'information et d'articles sur la question qui nous intéresse.

Population Division, Department of Economic and Social Affairs, United Nations Secretariat, constitue une source démographique pertinente des âges à travers le monde.

L'étude de recherche danoise soulignant la probabilité que la moitié des enfants naissant actuellement dans les nations industrialisées du monde vivront jusqu'à 100 ans est le travail du professeur Kaare Christensen, du Danish Ageing Research Centre, University of Southern Denmark, Denmark, et associés. Les résultats en ont été largement rapportés par les actualités, telles que http://www.medicalnewstoday.com/articles/165960.php.

CHAPITRE 2

Blair, Steven, et ass. "Physical Activity, Physical Fitness, and All-Cause and Cancer Mortality: A Prospective Study of Men and Women." *Annals of Epidemiology* 6, n° 5: 452-457.

Blair, V. M., H. W. Kohl, R. S. Paffenbarger Jr., D. G. Clark, K. H. Cooper, et L. W. Gibbons. "Physical Fitness and All-Cause Mortality: A Prospective Study of Healthy Men and Women." *Journal of the American Medical Association* 262 (1989): 2395-2401.

Bortz, Walter M., M. D. "Disuse and Aging." *Journal of the American Medical Association* 248 (1982): 1203-1208. Ceci a récemment été mis à jour dans: "Disuse and Aging." *The Journal of Gerontology Series A: Biological Sciences and Medical Sciences,* le 3 novembre 2009.

Bratteby, L.-E., B. Sandhagen, et G. Samuelson. "Physical Activity, Energy Expenditure and Their Correlates in Two Cohorts of Swedish Subjects Between Adolescence and Early Adulthood." *European Journal of Clinical Nutrition* 59 (2005): 1324-1334. doi: 10.1038/sj.ejcn.1602246.

Conboy, Irina, et ass. "Molecular Aging and Rejuvenation of Human Muscle Stem Cells." *EMBO Molecular Medicine,* le 30 septembre 2009.

Fried, L. P., et ass. "Frailty in Older Adults". *The Journals of Gerontology Series A: Biological Sciences and Medical Sciences* 56 (2001): M146–M157.

Guralnik, Jack M., et ass. "Associations Between Lower Extremity Ischemia, Upper and Lower Extremity Strength, and Functional

Impairment with Peripheral Arterial Disease." *J. Am. Geriatr. Soc.* 56, n° 4 (avril 2008): 724-729.

Lee, I-Min, Chung-cheng Hsieh, et Ralph S. Paffenbarger Jr. "Exercise Intensity and Longevity in Men: The Harvard Alumni Health Study." *JAMA* 273, n° 15 (1995): 1179-1184.

Liu Y, et ass. "Expression of $p16INK_4a$ in Peripheral Blood T-cells is a Biomarker of Human Aging." *Aging Cell* (4) (le 8 août 2009): 439–448.

Konstantinos, Nasis, et ass. "Aerobic Exercise and Intraocular Pressure in Normotensive and Glaucoma Patients." *BMC Ophthalmology* 9, n° 6 (2009). doi: 10.1186/1471–2415–9–6.

Nieman D.C., Henson D.A., Austin M.D., Brown V.A. "The immune response to a 30-minute walk." *Med Sci Sports Exerc* 37:57–62, 2005.

Nurses' Health Study. http://www.channing.harvard.edu/nhs/ Paddock, Catherine. "Being Overweight Linked To 'Severe Brain Degeneration'" tel que rapporté dans *MedicalNewsToday.com,* le 27 août 2009. http://www.medicalnewstoday.com/articles/ 162135.php.

Quinn,Elizabeth. "Moderate Exercise Boosts Immunity." *About.com Guide,* le 29 octobre 2007.

Raji, Cyrus A., et ass. "Brain Structure and Obesity." *Human Brain Mapping.* Spector T. D., et ass. "A Genome-Wide Association Study Identifies a Novel Locus on Chromosome 18q12.2 Influencing White Cell Telomere Length." *J. Med. Genet.* 46 (2009): 451–454. doi:10.1136/jmg.2008.064956.

Tai-Hing Lam, et ass. "Leisure Time Physical Activity and Mortality in Hong Kong: Case-Control Study of All Adult Deaths in 1998." *Annals of Epidemiology* 14, n° 6 (juillet 2004): 391–398.

Walston, J., et ass. "Research agenda for frailty in older adults: toward a better understanding of physiology and etiology: summary from the American Geriatrics Society/National Institute on Aging Research Conference on Frailty in Older Adults." *J Am Geriatric Soc.* Juin 2006;54(6):991–1001.

Whipple, Dan. "Paleolithic Work Ethic." *Insight on the News,* le 23 décembre 1996. La liste des facteurs de risque associés à l'activité est tirée de *CureResearch.com,* http://www.cureresearch. com/risk/inactivity.htm.

Les citations du spécialiste en génétique, Mae-Wan Ho sont tirées d'une correspondance privée avec le Dr Bortz. Note : Le King's College (Londres), Département de recherche sur les jumeaux et d'épidémiologie génétique, possède la plus grande base de données et le programme de recherche les plus importants au monde sur les phénotypes chez les jumeaux, permettant effectivement de mesurer la contribution génétique par rapport à la contribution environnementale d'un grand nombre de maladies et de syndromes. http://www.twin-research.ac.uk/index.html.

CHAPITRE 3

Keim, Brandon. "These Toes Were Made for Running." *Wired,* février 2009. http://www.wired.com/wiredscience/2009/02/runningtoes/comment-page–2/.

Kurzweil, Ray, et Terry Grossman. *Fantastic Voyage: Live Long Enough to Live Forever* (New York: Rodale Books, 2004).

Kurzweil, Ray, et Terry Grossman. *Transcend: Nine Steps to Living Well Forever* (New York: Rodale Books, 2009).

Lloyd, D., M. A. Aon, et S. Cortassa. "Why Homeodynamics, Not Homeostasis?" *The Scientific World Journal* I (2001): 133–145. Mazzeo, Robert S., et ass. "Exercice and Physical Activity for Older Adults." *Medecine & Science in Sports & Exercice.* 30, (6) (juin 1998). http://www.acsm.org/AM/Template.cfm?Section=Past_Round-tables&Template=/CM/ContentDisplay.cfm&ContentID=2836. Cet article résume un grand nombre d'études qui établissent la corrélation entre l'exercice et un vieillissement en santé.

Nieman, D. C, D. A. Henson, M. D. Austin, et V. A. Brown. "The Immune Response to a 30-Minute Walk." *Med. Sci. Sports Exerc.* 37 (2005): 57–62.

Okura, et ass. "Effects of Aerobic Exercice on Metabolic Syndrome Improvement in Response to Weight Reduction." *Obesity* 15 (2007), 2478–2484; doi: 10.10308/oby.2007.294.

Strohman, Richard C. "Linear Genetics, Non-Linear Epigenetics: Complementary Approaches to Understanding Complex Diseases." *Integrative Psychological and Behavioral Science* 30, nº 4 (septembre 1995): 273-282.

Yates, F. Eugene. "Homeokinetics/Homeodynamics: A Physical Heuristic for Life and Complexity." University of California–Los Angeles, Department of Medicine, *Ecological Psychology* 20, nº 2 (avril 2008): 148–179.

Zilbut, Joseph P. "Is Physiology the Locus of Health/Health Promotion?" *Advan. Physiol. Edu.* 32 (2008): 118–119. doi:10.1152/advan.90134.2008.

CHAPITRE 4

Antonelli, Jodi, et ass. "Exercice and Prostate Cancer Risk in a Cohort of Veterans Undergoing Prostate Needle Biopsy." *The Journal of Urology* 182, nº 5 (novembre 2009): 2101–2102.

Aubrey, Allison. "Even a Little Exercice Boosts Fitness, Study Shows." NPR, le 15 mai 2007. http://www.npr.org/templates/story/story. php?storyld=10192772.

Blair, Steven N., et ass. "Cardiorespiratory Fitness as a Predictor of Fatal and Nonfatal Stroke in Asymptomatic Women and Men." *American Heart Association.* Stroke.2008;39:2950–2957. http:// www.stroke.ahajournals.org/cgi/content/abstract/39/11/2950.

Bode, F. R., et ass. "Age and Sex Differences in Lung Elasticity." *J. Appl. Physiol.* 41 (1976): 129-135.

Burroughs, John. *The Breath of Life* (New York: Houghton Mifflin, 1915). "Coffee, Exercice, Fight Prostate Cancer." Rapport sur l'étude menée par la Harvard School of Public Health. (le 8 décembre 2009) http://www.nlm.nih.gov/medlineplus/news/fullstory_ 92761.html.

Dole, Malcolm. "The Natural History of Oxygen." *The Journal of General Physiology,* 1er septembre, 1965.

Framingham Heart Study: A Project of the National Heart, Lung and Blood Institute and Boston University. http://www.framingham heartstudy.org.

Importance of Aerobic Fitness: Aerobic Fitness Information. http://www.aerobictest.com/AerobicFitnessImportance.htm.

Lane, Nick. *Oxygen: The Molecule That Made the World* (New York: Oxford University Press, 2003).

Marinello, Sal. "The Health and Fitness Advice Ramble: Exercice and Cancer, ANTM Scam, Vitamin D and More." Le 28 mai 2008. http://www.intersportswire.com/archives/235.

Martinez, Maria Elena, et ass. *Colon Cancer and Exercice.* American Cancer Society, le 20 juillet 1999. http://www.cancer.org/docroot /NWS/content/NWS_1_1x_Colon_Cancer_and_Exercice.asp.

Thyfault, John, et ass. "Fatty Liver Disease, Next Big Problem for Obese and Inactive People." *Journal of Physiology* (à paraître).

CHAPITRE 5

Carmina, E., et ass. "Correlates of Increased Lean Muscle Mass in Women with Polycystic Ovary Syndrome." *European Journal of Endocrinology* 161, n° 4 (juillet 2009): 583–589.

Ebben, William P., et Randall L. Jensen. "Strength Training for Women: Debunking Myths That Block Opportunity." *The Physician and Sports Medicine* 26, n° 5 (mai 1998).

Editors Prevention Health Books for Women. *Fit Not Fat at Forty Plus: The Shape Up Plan That Balances Your Hormones, Boosts Your Metabolism, and Fights Female Fat in Your Forties—And Beyond* (Rodale Press, 2002).

Hobson, Katherine. "How to Avoid Losing Muscle As You Age." *U.S. News & World Report,* le 4 septembre 2008. http://wwwusnews.

com/health/blogs/on-fitness/2008/09/04/how-to-avoid-losing-muscle-as-you-age.html.

Kenny, Anne M., et ass. "Prevalence of Sarcopenia and Predictors of Skeletal Muscle Mass in Nonobese Women Who Are Long-Term Users of Estrogen-Replacement Therapy." *The Journals of Gerontology Series A: Biological Sciences and Medical Sciences* 58 (2003): M436-M440.

Magaziner J., W. Hawkes, J. R. Hebel, S. I. Zimerman, K. M. Fox, M. Dolan, et ass. "Recovery from Hip Fracture in Eight Areas of Function." *Journal of Gerontology: Medical Sciences* 55A, n° 9 (2000): M498-M507.

Misner, Bill. "Interventions for Enhancing Lean Muscle Mass Gain and Fat Mass Loss During Strength or Speed Training Protocols." *AFPA Fitness,* Newsletter of the American Fitness Professionals Association, 2009.

National Center for Health Statistics. "Trends in Health and Aging." http://www.cdc.gov/nchs/agingact.htm.

Pocock, N., et ass. "Muscle Strength, Physical Fitness, and Weight but Not Age Predict Femoral Neck Bone Mass." *J. Bone Miner. Res.* 4, n° 3 (juin 1989): 441-448.

Poehlman, E. T., et ass. "Effects of Endurance and Resistance Training on Total Daily Energy Expenditure in Young Women: A Controlled Randomized Trial." *Journal of Clinical Endocrinology and Metabolism* 87 (2002): 1004-1009.

South Dakota State University. "Lean Mass Better for Developing Bones in Young People." *ScienceDaily,* le 29 juin 2009. http://www.sciencedaily.com/releases/2009/06/090622201612.htm.

University of Alberta. "Lean Muscle Mass Helps Even Obese Patients Battle Cancer." *ScienceDaily,* le 18 décembre 2008. http://www.sciencedaily.com_/releases/2008/12/081217124424.htm?utm_source=feedburner&utm_medium=feed&utm_campaign=Feed%3A+sciencedaily+%28ScienceDaily.

Wang, Z., S. Heshka, K. Zhang, C. N. Boozer, et S. B. Heymsfield. "Resting Energy Expenditure: Systematic Organization and Critique of Prediction Methods." *Obesity Research* 9 (2001): 331-336.

Wright, Vonda, et Ruth Winter. *Fitness After 40: How to Stay Strong at Any Age* (AMA-COM, 2009).

Note: Un bon résumé des faits traitant de métabolisme et d'indices métaboliques peut être trouvé en ligne au: http://www.healthre serve.com/dieting/metabolism.htm.

CHAPITRE 6

Profils anecdotiques de centenaires http://www.aolhealth.com/healthy -living/aging-well/centenarian. Profils de centenaires supplémentaires http://www.americanprofile.com/article/35516.html.

Les résultats d'une étude de l'Université de Bordeaux portant sur le mariage et la maladie d'Alzheimer sont rapportés dans "Study Shows that Socializing Can Extend Your Life." MedicineNet. com. http://www.medicinenet.com/script/main/art.asp?articlekey =50788.

Dello Buono, Marirosa, et ass. "Quality of Life and Longevity: A Study of Centenarians." *Age Ageing* 27 (mars 1998): 207-216.

Dychtwald, Ken. *Healthy Aging: Challenges and Solutions* (Aspen Publishing, 1999).

Fragniere, Alexandra, et ass. "Using Animal Models to Investigate the Functions of Adult Hippocampal Neurogenesis." Infoscience: Le Portail d'information scientifique, 2008.

Georgia Centenarian Study. Summary http://qa.genetics.uga.edu/out lineDetails.html. Très semblable à la New England Centenarian Study, cette recherche à caractère régional (État de la Georgie) a eu comme objectif d'étudier des centenaires cognitivement intacts depuis 1988.

Glass, Thomas A., et ass. "Population based study of social and productive activities as predictors of survival among elderly Americans." *British Medical Journal* 319 (le 21 août 1999): 478–483.

Griffith, Robert W., M.D. "Centenarians' Lifestyle – What Works, What Doesn't." *HealthAndAge.com,* le 18 juin 2004. http://www.health andage.com/Centenarians-Lifestyle-What-Works-What-Doesnt.

Masui, Y., et ass. "Do Personality Characteristics Predict Longevity? Findings from the Tokyo Centenarian Study." *AGE* 28, n° 4 (décembre 2006).

National Centenarian Awareness Project. "Live to 100 and Beyond." News clips on active centenarians. http://www.liveto100and beyond.com.

The New England Centenarian Study est résumée à l'adresse : http:// www.bumc.bu.edu/centenarian/overview/. Cette étude en cours, commencée en 1994, continue de nous fournir de précieuses informations entourant la possibilité d'atteindre 100 ans en bonne santé. Parmi les contributions dignes d'intérêt de cette étude, citons l'observation selon laquelle « Plus vous avancez en âge, plus vous avez été en bonne santé jusqu'ici ».

Perls, Thomas, et ass. "Morbidity Profiles of Centenarians: Survivors, Delayers, and Escapers." *The Journals of Gerontology Series A: Biological Sciences and Medical Sciences* 58 (2003) : M232– M237.

"Reaching 100 for Men." *The Centenarian* (UK). http://www.thecen tenarian.co.uk/reaching–100-for-men.html.

Saczynski, Jane A., et ass. "The Effect of Social Engagement on Incident Dementia." *American Journal of Epidemiology* 163, n° 5 (2006) : 433–440. doi: 10.1093/aje/kwj061.

Sheehy, Gail. Extraits de *Sex and the Seasoned Woman* (2006), National Centenarian Awareness Project. http://www.adlercentenarians. org/gail_sheehy.htm.

Wilson, Robert S., Kristin R. Krueger, Liping Gu, Julia L. Bienias, Carlos F. Mendes de Leon, et Denis A. Evans. "Neuroticism, Extraversion, and Mortality in a Defined Population of Older Persons." *Psychosomatic Medicine* 67 (2005) : 841–845.

Yong, Ed. "Secrets of the Centenarians: Life Begins at 100." *New Scientist,* le 7 septembre 2009.

Un résumé des données de recherche sur la valeur de l'interaction sociale sur la longévité tirées de la New England Centenarian Study et de la Centenarian Sibling Pair Study des chercheurs Margery Hutter Silver et Thomas Perls http://www.webmd.com/healthy-aging/ guide/20061101/you-too-could-live-to-100-at-least–80.

CHAPITRE 7

Abramov, Leon A. "Sexual Life and Sexual Frigidity Among Women Developing Acute Myocardial Infarction." *Psychosomatic Medicine* 38, n° 6 (novembre-décembre 1976).

Bacon, Constance G., et ass. "Sexual Function in Men Older Than 50 Years of Age: Results form the Health Professionals Follow-up Study." *Annals of Internal Medicine* 139, n° 3 (août 2003): 161–168. Cette étude établit la corrélation directe entre la bonne forme physique et la bonne forme sexuelle chez les hommes âgés de plus de 50 ans. Callaway, Ewen. "Viagra Could Boost Orgasms in Depressed Women." *New Scientist,* le 22 juillet 2008.

"Can Good Sex Keep You Young?" *WebMD,* le 13 novembre 2000. http:// www.webmd.com/healthy-aging/features/sex-keep-young. Chalker, Rebecca. "Strategies for Staying Sexual After Menopause." *The Women's Health Activist,* le 4 mai 2009. http://nsrc.sfsu.edu/ article/strategies_staying_sexual_after_menopause.

Davison, Sonia Louise, et ass. "The Relationship between Self-Reported Sexual Satisfaction and General Well-Being in Women." *The Journal of Sexual Medicine* 6 (10): 2690–2697.

Dubin, Charles. "Aging and Female Sexual Desire." *Smart Now.* http://www.smart-now.com/page/7882.

Esposito, Katherine, et ass. "Hyperlipidemia and Sexual Function in Premenopausal Women." *Journal of Sexual Medicine* 6, n° 6 (le 23 avril 2009): 1696–1703._doi: 10.1111/j.1743–6109.2009. 01284.x.

Geddes, Linda. "No Sex Tonight Honey, I Haven't Taken My Statins." *New Scientist,* le 8 septembre 2009. http://www.newscientist.com/

article/dn17750-no-sex-tonight-honey-i-havent-taken-my-statins. html.

Hellstrom, Wayne J.G. "Testosterone Replacement Therapy." *Digital Urology Journal* (à paraître).

Kaufman, Miriam, Cory Silverberg et Fran Odette. *The Ultimate Guide to Sex and Disability: For All of Us Who Live with Disabilities, Chronic Pain and Illness* (Cleis Press, 2003).

Manton, K. G., et ass. "Active Life Expectancy in the U.S. Elderly Population 1982-1991: Dynamic Equilibria of Mortality and Disability." *Center for Demographic Studies* (1993).

Marshall, Michael. "Six Things Science Has Revealed About the Female Orgasm." *New Scientist,* le 28 mai 2009.

Scott, Elizabeth."Sex and Stress – The Links Between Sex and Stress." About.com Stress Management, le 24 novembre 2008. http:// stress.about.com/.

Recherche écossaise sur la sexualité et l'apparence de jeunesse citée sur le site de la BBC World News, le 10 octobre 2000. http:// news.bbc.co.uk/2/hi/uk_news/scotland/965045.stm.

Smith, George Davey, et ass. "Sex and Death: Are They Related? Findings from the Caerphilly Cohort Study." *BMJ* 315 (le 20 décembre 1997) : 1641–1644. Il s'agit ici de l'étude galloise fréquemment citée et démontrant une diminution de 50 pour cent de taux de mortalité parmi les hommes ayant une fréquence orgasmique plus élevée.

Veronelli, Annamaria, et ass. "Sexual Dysfunction Is Frequent in Premenopausal Women with Diabetes, Obesity, and Hypothyroidism, and Correlates with Markers of Increased Cardiovascular Risk. A Preliminary Report." *Journal of Sexual Medicine* 6, n° 6 (le 23 avril 2009) : 1561-1568._doi: 10.1111/j.1743–6109.2009.01242.x.

"Women's Sexual Activity in Later Years Influenced by Partner Issues, UCSF Study Shows." News Release, University of California, San Francisco, le 24 juin 2009. http://news.ucsf.edu/releases/ womens-sexual-activity-in-later-years-influenced-by-partner-issues-ucsf-stu/.

CHAPITRE 8

Bullitt, Elizabeth, et ass. "Aerobic Activity May Keep the Brain Young." *UNC Health Care Bulletin,* le 29 juin 2009. Ce bulletin commente les recherches à être publiées dans l'*American Journal of Neuroradiology* et les recherches qui ont été présentées lors de la rencontre annuelle de la Radiological Society of North America, en 2008.

Castelli, D. M., et ass. "Physical fitness and academic achievement in third- and fifth-grade students" *J Sport Exerc Psychol.* (2), (le 29 avril 2007): 239–252.

Chen, H. "Physical activity and the risk of Parkinson disease." *NEUROLOGY* 64 (2005): 664–669 (Harvard University study on exercice and risk of Parkinson's disease).

"Coffee 'May Reverse' Alzheimer's." *BBC News Report.* http://news.bbc.co.uk/2/hi/health/8132122.stm.

Collihan, Kelly. "Exercice Amps Up Alzheimer's Brain?" *WebMD.com.* À paraître dans *Neurology,* par Jeffrey M. Burns, et ass. http://www.webmd.com/alzheimers/news/20080714/exercice-amps-up-alzheimers-brain.

Coughlan, Andy. "New Look at Alzheimer's Could Revolutionise Treatment." *New Scientist,* le 9 septembre 2009.

Facklemann, Kathleen. "Research Shows Exercice Protects Against Parkinson's." *USA Today,* le 17 janvier 2006.

Gould, Elizabeth, et Charles G. Gross. "Neurogenesis in Adult Mammals: Some Progress and Problems." *The Journal of Neuroscience* 22, n° 3 (le 1er février 2002): 619–623.

Healthy Eating Pyramid. *Harvard School of Public Health.* http://www.hsph.harvard.edu/nutritionsource/what-should-you-eat/pyramid/.

Hitti, Hitti. "Exercise May Help Prevent Parkinson's." *WebMD Health News,* le 23 avril 2007. http://www.webmd.com/parkinsons-disease/ news/20070423/exercise-may-help-prevent-parkinsons.

Lund, Angela. "Preventing Alzheimer's: Exercise Still Best." *MayoClinic.com,* le 25 mars 2008. http://www.mayoclinic.com/health/alzheimers/MY00002.

Nelson, Bernard P. "Aerobic Exercise Effects on the Human Brain." Beckman Institute Study of Aerobics vs. Brain. *Suite101.com.* http://aerobicconditioning.suite101.com/article.cfm/beckman_in stitute_study_of_aerobics_vs_brain.

Paddock, Catherine. "Being Overweight Linked to 'Severe Brain Degeneration.'" *MedicalNewsToday.com,* le 27 août 2009. http://www.medicalnewstoday.com/articles/162135.php.

Patoine, Brenda. "Move Your Feet, Grow New Neurons? Exercise Induced Neurogenesis Shown in Humans." *The Dana Review.* (le 1er mai 2007). Un compte-rendu de la recherche en neurogenèse humaine menée à l'université Columbia. http://www.dnalc.org/view/848-Exercice-induced-Neurogenesis.html.

Ratey, John J. *Spark: The Revolutionary New Science of Exercise and the Brain* (New York: Little, Brown, 2008).

Rayl, A. J. S. "Research Turns Another 'Fact' Into Myth." *The Scientist* 13(4) (1999): 16 http://www.the-scientist.com/article/display/18407/.

"Research Shows Exercise Protects Against Parkinson's." Parkinson's Disease Foundation, *Science News.* (le 17 janvier 2006) (Compte-rendu de l'étude de recherche de l'université de Pittsburgh)

Richardson, Vanessa. "A Fit Body Means a Fit Mind." *Edutopia.* http://www.edutopia.org/exercise-fitness-brain-benefits-learning#.

Rodrigue, Raz N. "Differential Aging on the Brain: Patterns, Cognitive Correlates and Modifiers." *Neurosci. Biobehav. Rev.* 30, n°6 (2006): 730-748. http://www.ncbi.nlm.nih.gov/pubmed/ 16919333.

Scarmeas, Richard, et ass. "Physical Activity, Diet, and Risk of Alzheimer Disease." *JAMA* 302(6) (2009): 627–637.

Schnabel, Jim. "Physical Fitness Linked to Larger Hippocampus in Elderly." *The Dana Foundation Newsletter,* (avril 2009). Compte-rendu d'une étude menée à l'université de l'Illinois sur l'exercice et la croissance du cerveau chez les personnes âgées. http://www.dana.org/news/features/detail.aspx?id=21078.

Shors, Tracy J. "How to Save New Brain Cells." *Scientific American,* mars 2009. http://www.scientificamerican.com/article.cfm?id =saving-new-brain-cells. Shultz, Nora. "Expanding Waistlines May Cause Shrinking Brains." *New Scientist,* le 23 août 2009.

Vaynman, S., Z. Ying, et F. Gomez-Pinilla. "Hippocampal BDNF Mediates the Efficacy of Exercise on Synaptic Plasticity and Cognition." *Eur. J. Neurosci.* 20, n° 10 (novembre 2004): 2580–2590.

CHAPITRE 9

Albanese, Emiliaro, et ass. "Dietary Fish and Meat Intake and Dementia in Latin America, China, and India: A 10/66 Dementia Research Group Population-Based Study." *American Journal of Clinical Nutrition* 90, n° 2 (août 2009): 392–400.

Au sujet des herbes, produits botaniques ou autres: Memorial Sloan-Kettering Cancer Center. http://www.mskcc.org/mskcc/html/ 11570.cfm. Cette source d'informations en ligne, compilées et gérées par l'Integrative Medicine Service of Sloan-Kettering, fournit des informations appuyées par des preuves scientifiques au sujet des herbes, des produits botaniques, suppléments et plus encore. Cette compilation remarquable d'information scientifique sur à peu près tous les sujets, incluant les antioxydants, l'acupuncture et les vitamines constitue une ressource exceptionnelle.

Bjelakovic, Goran, et ass. "Mortality in Randomized Trials of Antioxydant Supplements for Primary and Secondary Preventio." *JAMA* 297 (2007): 842–857.

Bortz, Walter M., et ass. "The Effect of Feeding Frequency on Rate of Weight Loss." *New England Journal of Medicine* 274 (1966): 376–379.

Centenarian Study Booklet. Georgia Centenarian Study. http://www. geron.uga.edu/pdfs/CentStudyBooklet.pdf.

"Coenzyme Q10." National Cancer Institute, U.S. National Institutes of Health. Un compte-rendu sommaire des études sur l'utilisation du coenzyme Q_{10} dans le traitement du cancer. http://www.cancer.gov/cancertopics/pdq/cam/coenzymeQ10/Patient.

ConsumerLab.com. http://www.consumerlab.com/. Une source d'information pour les consommateurs basée sur les essais cliniques indépendants faits sur les vitamines, suppléments et remèdes à partir de plantes disponibles sur le marché, etc. Les affirmations des fabricants sont testées et commentées.

"Death Link to Too Much Red Meat." *BBC World News,* le 24 mars 2009. http://news.bbc.co.uk/2/hi/health/7959128.stm.

DeKosky, Steven T., et ass. "*Ginkgo biloba* for Prevention of Dementia." *JAMA* 300(19) (2008): 2253–2262.

Evans, Martin. "Tips for a Longer Life According to the World's Oldest People." *The Daily Telegraph* (UK), le 26 novembre 2009. http://www.telegraph.co.uk/news/6652291/Tips-for-a-longer-life-according-to-the-worlds-oldest-people.html.

"Food Pyramids: What Should You Really Eat?" Harvard School of Public Health, Cambridge, MA, http://www.hsph.harvard.edu/nutritionsource/what-should-you-eat/pyramid/.

Heaney, Mark L., et ass. "Vitamin C Antagonizes the Cytotoxic Effects of Antineoplastic Drugs." *Cancer Research* 68 (le 1er octobre 2008): 8031.

Herbal Information: Dietary Supplements; Food and Nutrition Information Center. U.S. Department of Agriculture, National Agricultural Library.

Hooper. M., et R. Heighway-Bury. *Who Built the Pyramid?* (Cambridge, MA: Candlewick Press, 2001).

Misner, Bill. "Interventions for Enhancing Lean Muscle Mass Gain and Fat Mass Loss During Strength or Speed Training Protocols." American Fitness Professionals Association. http://www.afpafitness.com/articles/articles-and-newsletters/research-articles-index /exercise-program-design/interventions-for-enhancing-lean-muscle-mass-gain-and-fat-mass-loss-during-strength-or-speed-training -protocols–2/.

"Overweight Top World's Hungry." *BBC World News,* le 15 août 2006. http://news.bbc.co.uk/2/hi/health/4793455.stm. Parker-Pop, Tara. "Vitamins, a False Hope?" *New York Times,* le 16 février 2009. http://www.nytimes.com/2009/02/17/health/17well.html?_r=2.

Pollan, Michael. *In Defense of Food: An Eater's Manifesto* (New York, Penguin, 2008).

"Putting Limits on Vitamin E: The Potent Antioxydant May Do More Harm Than Good." Compte-rendu non publié provenant de l'université de Tel Aviv. http://www.physorg.com/news181403527. html.

"Scientists Find Molecular Trigger That Helps Prevent Aging and Disease." *Science Daily,* (le 23 novembre 2009). http://www. sciencedaily.com/releases/2009/11/091118143217.htm.

Stibich, Mark. "Turmeric: Anti-Aging Miracle Spice?" *About.com Guide,* le 31 août 2008. http://longevity.about.com/od/antiaging foods/a/turmeric.htm.

"Tomato Pill 'Beats Heart Disease.'" *BBC World News,* le 1er juin 2009. http://news.bbc.co.uk/2/hi/health/8076556.stm.

Trivedi, Bijal. "The Calorie Delusion: Why Food Labels Are Wrong." *New Scientist,* le 15 juillet 2009. http://www.newscientist.com/ article/mg20327171.200-the-calorie-delusion.html?DCMP=NLC -nletter&nsref=mg20327171.200.

"Typical Lifetime Dietary Habits of Centenarians." *The Centenarian* (UK). http://www.thecentenarian.co.uk/typical-lifetime-dietary- habits-of-centenarians.html. Une étude des caractéristiques alimentaires de populations centenaires hors du commun, incluant l'Azerbaïdjan, la Sardaigne, Okinawa, etc.

University of Michigan Food Pyramid. http://www.med.umich.edu/ umim/food-pyramid/.

U.S. Department of Agriculture, Center for Nutrition Policy and Promotion. *The Healthy Eating Index.* 1995.

"Vitamin E." National Institutes of Health, Office of Dietary Supplements. http://ods.od.nih.gov/factsheets/VitaminE.asp. Ce site inclut les résultats de nombre d'études effectuées sur des vitamines spécifiques en rapport avec les maladies du cœur et le cancer.

"Weekly Curry May Fight Dementia." *BBC World News,* le 3 juin 2009. http://news.bbc.co.uk/2/hi/health/8080630.stm.

Women's Health Initiative, *Findings.* http://www.whi.org/findings/.

CHAPITRE 10

Bortz, Walter M. *Next Medicine: The Science and Civics of Health* (New York : Oxford University Press, 2010).

Csikszentmihalyi, Mihaly. *Flow: The Psychology of Optimal Experience.* (New York : Harper Perennial Modern Classics, 2008).

ÉPILOGUE

Yalom, Irvin D. *Staring at the Sun: Overcoming the Terror of Death* (Berkeley : Jossey-Bass, 2009).